AUTOUR DU MONDE

Les deux perles de l'Asie

Thaïlande et Indonésie

DES PAYS ET DES HOMMES

L'Indonésie :
- Java, Sumatra, Sulawesi et les petites îles de la Sonde
Texte et légendes rédigés par Alain Bourrillon
- Bali
Texte et légendes rédigés par Jacques Fassola

La Thaïlande
Texte et légendes rédigés par Alain Bourrillon

Dessins du volume par Lizzie Napoli

ISBN 2-84264-041-1 (volume 1)
Imprimerie Printer - Barcelone - Paris. Dépôt légal juillet 1996 Imprimé en Espagne - Printed in Spain - © SPL 1996

LA THAÏLANDE

Vastes miroirs aux contours capricieux, à la surface régulièrement piquée de plants
aux tiges souples, les rizières s'étendent, à perte de vue, sous le soleil de plomb. Un
vieil homme est courbé au-dessus de l'eau. Simplement vêtu d'un short suranné, torse
nu, il marche silencieusement dans une boue légère qui monte à mi-mollet, une main
posée en visière sur le front. Le temps n'a eu, semble-t-il, que peu de prise sur lui,
car son corps, solide et musclé, est celui d'un jeune homme. Agile comme un félin
dans ses déplacements, il scrute le moindre reflet inhabituel de cette eau si nuagée
qu'on ne la distingue plus du ciel. Un éclair, un geste, une forme tournoie au-dessus
de sa tête et se déploie à quelques mètres devant lui. L'épervier, lesté de plombs sur
le pourtour, quadrille un instant l'élément liquide puis s'efface. L'homme pêche dans
sa rizière, puisque tel est le rôle qui lui est maintenu dévolu au sein de la famille.

Le **gibbon beige** vit souvent à proximité immédiate des habitations. D'un caractère sociable, il est facile à apprivoiser. Peut-être par simple fainéantise ? Sa petite face expressive attire la sympathie. Mais, comme toutes les proies faciles, il a été traqué par les pourvoyeurs de zoos, qui mettent maintenant sa race en péril.

Éléphants au travail sur le bois de flottage. Le dressage permet de coordonner l'autorité de l'homme, la force et l'intelligence naturelle de l'animal, qui devient un auxiliaire irremplaçable dans les régions fortement boisées, escarpées ou difficiles d'accès. Ici, l'éléphant sort les troncs du lit de la rivière, se faufile entre les arbres jusqu'au grumier stationné sur la route... travail impossible à réaliser à l'aide d'un tracteur.

Page précédente
En Thaïlande, les innombrables silhouettes de femmes en activité, qui ponctuent le paysage, témoignent de leur omniprésence industrieuse mais souriante. Elles assument seules la totalité des tâches quotidiennes : vente sur les marchés, entretien du village, de la maison, des animaux, etc.

Le pays des hommes libres

LA THAÏLANDE est née sous le signe de l'eau. L'eau est présente partout, à chaque instant de l'histoire et de la vie de ce pays : eau créatrice de la flore exubérante qui couvre les collines, créatrice de fleurs au parfum violent, de fruits exotiques qui poussent à l'état sauvage ; eau tombée du ciel à chaque période de mousson, emplissant les rizières ; eau véhicule de la fertilité grâce aux milliers de tonnes d'alluvions s'écoulant dans le bassin du Ménam Chao Phraya, mais aussi irrigation savamment étudiée pour répartir cette manne aquatique ; eau génitrice de nourriture, lorsque la moindre rivière, presque chaque flaque d'eau, retient le poisson, une des bases alimentaires du Thaïlandais ; eau source d'invasion dès le IXe siècle, lorsque Thaïs, Birmans, Laos et Vietnamiens, venus de Chine du Sud, s'installent, non sans heurts, dans leur nouvelle contrée d'adoption.

Eau moyen de transport et de communication ; eau marché flottant ; eau terrain de jeu pour les enfants ; eau lavoir ; eau égout parfois (pour ne pas dire souvent). Alors, pourquoi ne pas dire eau mère d'un peuple quasi amphibien ?

L'eau symbolise le calme et la sérénité dans un pays fortement attaché à la tradition familiale et religieuse. Détenteurs de cette tradition orale et écrite, les moines bouddhistes sont en fait les véritables maîtres d'œuvre de la civilisation. Le respect de tous pour l'enseignement et la pratique bouddhiques constitue ce véritable ciment dont le peuple a besoin pour atteindre cette sérénité tant convoitée.

Car vivre en Thaïlande, c'est vivre dans une région constamment bouleversée par les guerres et les invasions. Depuis plus d'un millénaire, et encore aujourd'hui, l'incessante migration de tribus semi-nomades venues des confins tibétains, la présence menaçante de voisins hostiles à toutes ses frontières, l'arrivée, par milliers, de réfugiés chassés de leur patrie par la famine, la guerre et les génocides rendent encore plus difficile le maintien de ce fragile équilibre, dont le Thaï a pourtant le plus grand besoin.

Le mot *thaï* signifie libre, fier : libre aujourd'hui de toute colonisation ; fier d'avoir pour l'instant préservé cette dignité, ce respect de l'autre, mais aussi de soi-même, qu'on peut lui envier.

Sous le signe de l'eau

DES TORRENTS SURGISSENT des derniers contreforts himalayens, glissent au fond de vallées inaccessibles, couvertes de grands arbres, avant de se faufiler au travers d'une jungle inextricable, de forêts de bambous et de

Lessive en eau trouble. Juste en haut de l'échelle se dresse la maison. Au pied, c'est le klong, le canal, la rue... Là, on discute avec les voisins, on prend son bain, matin et soir, on attend l'autobus-pirogue, on rejette les eaux usées, on gare son véhicule, on lave son linge. Sale, cette eau ? Allons donc, tout juste un peu limoneuse...

Phot. Michaud-Rapho

Pêche au carrelet. La décrue des eaux après la mousson a fermé la pièce d'eau sur les quatre côtés, laissant le poisson prisonnier. Le paysan pêche, mais veille à ne pas détruire ce vivier naturel, qui, avec quelques précautions et beaucoup de sagesse, apportera à la famille le complément indispensable à sa nourriture quotidienne.

Phot. S. Held

feuillages. L'altitude ne dépasse guère les 2 000 m au nord de Chiang Mai. Le terrain, très en pente, est peu propice à la culture, du fait de l'érosion. Cet enchevêtrement de collines et de vallées est le refuge privilégié des tribus montagnardes.

Lors de sa migration vers le sud, le peuple thaï renonce rapidement à s'installer dans cette région pour chercher un terrain mieux adapté à la sédentarisation. Il le trouvera plus au sud, dans cet entonnoir naturel, qui se rétrécit au sud de Lampang, où le flot des torrents se régularise, où la pente s'adoucit, où toutes les rivières se regroupent pour former cette colossale masse d'eau qui coupe le pays en deux ; bref, vers le fleuve Ménam Chao Phraya qui draine ce formidable bassin alluvionnaire, devenu le « bol de riz » de la Thaïlande. C'est dans cette région que seront installées trois anciennes capitales du pays : Sri Satchanalaï, Sukhothaï et Phitsanulok.

Le climat de cet amphithéâtre cerné de montagnes répond à toutes les conditions indispensables au développement d'une civilisation asiatique.

D'abord, la présence de la mousson, ce vent tropical humide qui divise l'année en une saison sèche (novembre à mars) et une saison humide et pluvieuse, entraîne en quelques semaines l'inondation et le ramollissement de la terre, facilitant la croissance du riz.

Ensuite, la persistance d'une température de 18 à 35 °C assure le mûrissement des épis, mais aussi une prolifération de la végétation, des grands arbres, des bananiers, des palmiers et des bambous, véritables matières premières de l'édification de l'habitat, de la fabrication des objets usuels et de l'entretien périodique de la maison (toiture, enclos, mobilier en particulier).

Enfin, la présence d'un fleuve alluvionnaire et poissonneux presque à l'excès assure le maintien de la

Les dimensions volontairement limitées des maisons rurales et leur apparence modeste sont l'indice des difficultés de la vie dans une région moins fertile. Les noix fraîches de la cocoteraie voisine, donnent lait, chair, qui devient coprah et huile. Leur coque séchée sert de combustible.

fertilité des sols et l'appoint en protéines animales indispensable pour un bon équilibre alimentaire.

Cet ensemble de conditions favorables a permis l'épanouissement d'un mode de vie thaï dans un paysage façonné par le travail de l'homme.

Dans cette vaste plaine centrale, le « Fleuve Prince » déroule son flot majestueux. C'est ici que l'homme a choisi de s'installer.

À perte de vue, le paysage est découpé en minuscules parcelles géométriques scintillant au soleil. La plaine est ponctuée d'immenses bosquets de bambous, qui surgissent comme des gerbes folles dans le ciel. Au loin, quelques monstrueuses excroissances rocheuses couvertes de végétations, placées là par on ne sait quel caprice de la nature, donnent un peu de relief à ce plat pays. À proximité d'un de ces « pains de sucre », un village s'est organisé : une soixantaine d'habitations tout au plus abritent un millier de personnes, vivant du revenu de leur terre. L'obligation qui est faite à chacun de vivre aux abords immédiats de sa rizière — en cas de catastrophe naturelle — limite le nombre des habitations. Il fait chaud en cette fin d'après-midi. L'orage quotidien n'a pas encore éclaté. De lourds nuages sombres planent à très basse altitude, signe précurseur de cette formidable averse qui va s'abattre sur le hameau pendant une heure ou deux, inondant tout sur son passage. Les habitants ne s'y trompent pas et hâtent le pas vers leur maison.

Le large chemin de terre battue qui sert de rue principale déborde d'activité pour quelques instants. Un homme guide son buffle noir vers une maison un peu plus grande que les autres : c'est le chef du village. Le buffle frôle une barrière de bambou à la faire craquer, tourne brusquement sur la droite et se précipite, derrière la maison, dans une vaste mare de boue qui lui servira de baignoire pendant quelques heures. Depuis des siècles, le buffle d'eau est le compagnon de l'homme, l'artisan oublié et impassible de cette civilisation du riz. La fange est son univers, le dur labeur son lot quotidien.

Chula, le chef du village, rejoint sa femme sur le perron de la maison. Cette terrasse couverte est le seul luxe de l'habitation. Entièrement faite de bois, solidement appuyée sur des pilotis de un bon mètre de haut, pour éviter toute surprise en cas d'inondation, la maison est recouverte du traditionnel toit de chaume de riz et de feuilles de palmier séché.

L'intérieur ne se compose que de deux grandes pièces. Peu ou pas de meubles à l'intérieur. Deux chaises basses pour recevoir les invités, une petite table où s'entassent pêle-mêle les ingrédients et condiments de la cuisine, un foyer surmonté de la poêle à fond rond, quelques ustensiles composent, avec un vieux buffet, le décor de la « pièce à vivre ». Le plancher, fait de fortes lattes disjointes, laisse entrevoir la remise à outils, le parc à cochon, le poulailler, la charrue et les outils traditionnels, qui ont trouvé place à même le sol, entre les pilotis.

Le tamisage du riz. Que faut-il admirer le plus ? Le costume de cette femme hmong ? La présence du riz à haute altitude ? L'élégance et l'habileté du geste pour faire sauter le riz sans en perdre un grain ? La finesse du tamis tressé à la main ou la persistance à notre époque d'une tradition immémoriale ?

Phot. Mayer-Magnum

Phot. Tomkins-A. Hutchison Lby

La seconde pièce est la chambre à coucher : un seul grand lit de bois, séparé de la chambre par un rideau de coton et recouvert de nattes de paille de riz finement tressée ; c'est l'alcôve des parents ; à même le sol, une demi-douzaine de nattes plus fines permettent de coucher les quatre enfants. Dans un coin de la pièce, l'autel des ancêtres, une petite niche de bois couverte de photos, de dessins et de gravures saintes, simplement éclairée par une bougie, témoigne de l'attachement de la famille à cette pratique millénaire. Deux ou trois fleurs coupées, quelques grains de riz enveloppés dans une feuille de flamboyant, une petite pâtisserie d'un rose très synthétique sont la preuve de cette ferveur quotidienne.

Du foyer au marché flottant

LA FEMME DE CHULA a commencé la préparation du repas du soir : un immense plat de riz, un poisson frit et une soupe, qui bout déjà sur le foyer. Trois violents éclairs, immédiatement suivis de coups de tonnerre, indiquent que l'orage n'est pas loin. La lumière ambiante diminue encore un peu plus, et Chula allume la lampe à kérosène accrochée au plafond de la « salle à manger ». Les gosses arrivent en courant. À peine la porte est-elle refermée que l'averse éclate. En une minute, la visibilité dehors devient quasiment nulle. En un clin d'œil, les rigoles débordent et inondent la rue. L'eau se déverse en ruisselets, creusant autant de fines tranchées dans le sol argileux. Le vent fait ployer bambous et palmiers, qui semblent des éventails fous au milieu de cette bourrasque. Dans une heure ou deux, tout sera fini ; enfin, jusqu'à demain. Les eaux se seront retirées, sauf de quelques flaques. Il fera bon pêcher la grenouille et la carpe dans la rizière et dans le *klong* (canal).

Sitôt servi, le repas est avalé en quelques minutes. Chula a allumé le transistor pour avoir les nouvelles de la ville, bien qu'il en connaisse déjà le contenu : météo peu optimiste, corruption à Bangkok, attaque de banque, agression de touristes, prostitution, meurtre. Les Thaïs sont friands de scandales, de faits divers sanglants, d'affiches de cinéma macabres. La radio en est le prolongement.

La soirée se déroule ainsi, hâtivement, car la nuit est déjà là. Le soleil se couche tôt sous les tropiques. La famille fera de même.

La femme de Chula est la première levée. Après la première toilette de la journée dans le *klong* avoisinant,

Loin d'être une attraction touristique préservée, le marché flottant est une nécessité pour le quartier et la région. En l'absence de routes, les femmes ont choisi de déplacer leur « boutique » par la voie fluviale et se retrouvent chaque matin de très bonne heure. Tous les commerces sont représentés sous la forme d'échoppes flottantes et ambulantes : entassés sur ces minuscules pirogues, fruits, légumes, graminées, viandes, poissons, mais aussi pâtisseries, quincaillerie et petits restaurants de quatre sous se mêlent à un ensemble coloré, parfumé... bruyant.

Phot. S. Held

elle lave son *sarong*, cette pièce de tissu de couleur vive, ceinte autour de la taille, et remonte préparer le déjeuner : une soupe, un peu de riz et des bananes frites calmeront les appétits du matin.

Aujourd'hui, c'est jour de marché, une affaire de femmes. Chula partira travailler à la rizière avec son fils aîné, comme chaque jour ; les deux filles iront à l'école, le matin seulement. Comme tous les enfants du village, elles portent le chemisier blanc, immaculé, et la jupette bleu marine plissée, soigneusement repassée. Comment tout cela reste-t-il impeccable toute la matinée ? Peut-être par le fait que les Thaïs sont des maniaques de la propreté.

Chula possède environ deux hectares de rizière et un grand potager autour de la maison. C'est beaucoup, et Chula ne se plaint pas. Sa terre est fertile, au point de

Phot. C. Lénars

Phot. Deshayes-Rapho

En quelques minutes, le klong est envahi par les frêles embarcations. On se bouscule, on s'interpelle. À chaque instant, on risque le naufrage pour passer. Mais qu'importe, il faut surtout se dépêcher de vendre pour ne pas rentrer bredouille à la maison.

Les femmes thaïes ont la peau très sensible. Le chapeau minutieusement tressé protège du soleil, mais aussi de la pluie. La chemise bleue aux poignets débordant sur le dessus de la main évite les brûlures pendant le parcours vers la maison.

lui donner deux belles récoltes par an. En période de mousson, c'est le moment de préparer la terre amollie, de la retourner, de l'aplanir et de réparer les diguettes qui ont pu souffrir depuis la récolte. Mais le travail dans cette terre argileuse est épuisant. Il faut marcher dans la boue des heures durant, redresser la charrue ou la herse, encourager le buffle qui peine presque autant. Puis viendra le temps du repiquage des pousses de riz, et les heures passées sous le soleil, cassé en deux, à patauger dans la rizière, sans que le travail semble avancer. Le paysan thaï ne vole pas sa récolte. Une fois le travail terminé, il lui reste à espérer que la mousson s'arrêtera à la date prévue, que le soleil sera abondant, et que les pousses ne seront pas noyées. Sinon, il faudra faire appel à la solidarité du village... ou s'endetter pour tenir jusqu'à la nouvelle récolte, c'est-à-dire emprunter à 20 % par mois auprès d'usuriers ou de fonctionnaires ou de mécènes, qui n'attendent que la prochaine mauvaise récolte pour récupérer la terre à un prix dérisoire. C'est ainsi que le fermage a tendance à se renforcer un peu partout dans le pays, dans le Nord et dans la plaine centrale notamment. Heureusement, la plupart des récoltes sont bonnes ; la Thaïlande figure parmi les principaux exportateurs de riz en Asie.

La femme de Chula part au marché. Il lui faut être sur place dès le lever du soleil pour espérer un bon emplacement. Mais, détail important, elle part en pirogue, par le canal juste derrière la maison, et le marché est flottant, comme des centaines de marchés en Thaïlande. Bien sûr, elle a mis son plus beau *sarong*, et une chemise aux manches si longues qu'elles débordent sur le dessus des mains. Même en Thaïlande on craint les coups de soleil, surtout si l'on est sur l'eau. Le temps de caler les balles de riz, deux ou trois poulets et la production du jour récoltée dans le potager, de fixer sur sa tête le célèbre chapeau de paille des femmes du pays, et la voici partie sur ce frêle esquif qui semble devoir se retourner à chaque coup de pagaie.

L'**orchidée** prend toutes les formes, toutes les couleurs. Elle est un peu l'imagination de l'homme faite fleur. Façonnée à l'image douce de son créateur, elle est un mythe, presque une religion.

En chemin, elle s'arrête au temple, situé juste en bord de canal. Quelques instants de recueillement, puis une dizaine de bâtons d'encens piqués dans une énorme jarre de bronze, enfin la consultation traditionnelle des dieux par le truchement de fines baguettes contenues dans un grand godet. Jetées par le sort au pied de la statue, ces baguettes rassureront sur la journée de vente, la paix pour la famille et la santé. Le jour est faste. Il faut se hâter d'arriver au marché.

Une matinée de marché n'est une partie de plaisir que pour les touristes. Il faut argumenter très fermement avec ses partenaires pour vendre ou acheter au mieux. Si l'on ne peut vendre, il faut troquer, mais ce n'est guère plus facile.

Il faut encore acquérir les denrées de première nécessité : le kérosène, le sel, le piment, mais aussi la noix de bétel dont les femmes raffolent. Cette chique, faite de la noix mêlée à de la chaux éteinte et à une

feuille, avec divers condiments pour affiner le goût, est glissée tout entière dans la bouche et sucée des heures entières. Un jet de salive rougeâtre ponctue la mastication, tranchant singulièrement avec la grâce de chaque geste.

Le bétel évite les caries, atténue les maux de dents et donne à celles-ci une couleur rougeâtre qui est, paraît-il, un canon de l'esthétique féminine ! Cette pratique tend à disparaître depuis que les publicités de dentifrices inondent le pays de leurs sourires standardisés.

Il faut à peine cinq minutes pour assembler cette œuvre d'art, l'offrande de jasmin, qui trouvera sa place dans le temple, face à la grande statue dorée.

Une charrette à bras, quelques tabourets, un barbecue, des brochettes de poisson et de porc, une sauce bien relevée... L'un des innombrables restaurants ambulants.

Phot. Cabanou-Diaf

Phot. Roques-Top

Autour du monastère

POUR LE PAYSAN THAÏ, la famille et le village sont les seules entités sociales qu'il puisse appréhender. La vie de cette cellule vitale demeure l'unique valeur de référence, surtout si les événements sont contraires. Le microcosme familial est de très loin le plus empreint de la tradition d'entraide et d'autodiscipline. Le plus souvent regroupée dans la maison du chef de famille ou de l'aïeul, la famille reste soucieuse de résoudre ses problèmes dans un cadre restreint au clan, ou au pire dans celui du village. Le régime patrilinéaire (filiation par rapport au père seulement) et la monogamie sont en effet la règle pour l'écrasante majorité des Thaïlandais de confession bouddhiste. Seules échappent à cette règle certaines tribus montagnardes, près de Chiang Mai, et quelques minorités islamiques d'origine malaise, principalement installées dans le Sud, dans la région de Songkhla.

La famille est donc très soudée, et, à de rares exceptions près, les jeunes trouvent un conjoint dans le village, parfois dans un village limitrophe. Les garçons se marient vers 22-25 ans, les filles rarement après 20 ans. Il est fréquent de voir six ou sept naissances dans les premières années du mariage. Cependant le taux de natalité, très élevé au début des années 1970, a fortement baissé du fait de la politique de limitation des naissances ; il n'était plus, en 1986, que de 25,3 p. 1 000 (proche de la moyenne mondiale en 1986 : 26 p. 1 000). La population de la Thaïlande, qui dépasse les 55 millions, est jeune : elle se composait en 1985, pour un peu plus des deux tiers, d'individus de moins de 29 ans. Mais la croissance démographique a posé de graves problèmes, entraînant l'impossibilité du partage des terres au moment de l'héritage, chaque parcelle étant insuffisante pour assurer la subsistance de chaque enfant. Les membres de la famille sont donc obligés de rester ensemble ou d'émigrer vers ce qui semble toujours un eldorado aux yeux des paysans : la ville, le rêve doré, en l'occurrence Bangkok.

Bangkok folie

CHAROEN KRUN, New Road, la rue la plus fréquentée par les touristes. De longues dalles de béton disjointes composent un bandeau cahotique pour la circulation. Des voitures sans âge alternent avec les limousines les plus luxueuses. Uniformément bleus, les taxis sont dans un état indescriptible, mais les chauffeurs roulent à tombeau ouvert. Défiant toutes les lois de l'équilibre, les *samlors*, de méchants triporteurs-taxis, sautent de file en file, dégageant une fumée pestilentielle de leur échappement libre. Des autobus quasi antédiluviens charrient des grappes humaines à une vitesse à peine inférieure à cette marée folle. Les trottoirs, faits des mêmes dalles que la chaussée, semblent avoir mal survécu à un tremblement de terre. En fait, il s'agit

Le cyclo-pousse représente le véhicule de l'Asie. Quelques pièces suffisent pour lui faire traverser la ville. Le conducteur vit dans son pousse. Toute sa fortune semble se limiter à son engin chromé et bariolé, mais le pousse ne lui appartient pas. Il lui faut payer une redevance quotidienne à quelques « gros bonnets », qui se sont assuré le monopole de la fabrication et de la vente. Il doit donc chercher le client, nuit et jour, et apprendre à vivre avec l'équivalent de cinq ou six francs quotidiens.

presque de cela : partout, à Bangkok, le sol bouge, car, à quelques mètres sous la ville, l'eau est là. Aussi n'est-il pas question d'enterrer les lignes électriques ni d'espérer un réseau d'égouts digne de ce nom. À la moindre averse importante, la rue est inondée, les collecteurs débordent, donnant à tout Bangkok l'aspect cocasse d'une cité lacustre abritant plus de 5 millions d'habitants très débrouillards : en un clin d'œil, les sacs de sable sont en batterie devant les portes, les passants tiennent leurs chaussures à la main, jupes et pantalons sont retroussés, les voitures et les motos se livrent à un ballet nautique surprenant, et les autobus, hauts sur roues, sont pris d'assaut par une foule bourdonnante.

Le spectacle le plus surprenant de Bangkok est cet incroyable fourmillement. La rue présente un perpétuel contraste entre les hommes et leur environnement. Au hasard de la promenade, une vieille femme cuit ses beignets de courgette sur un réchaud branlant. Son univers tient dans ce petit commerce, sa fortune se limite à cette longue perche de bambous supportant deux grands paniers où tiennent tous ses ustensiles. En

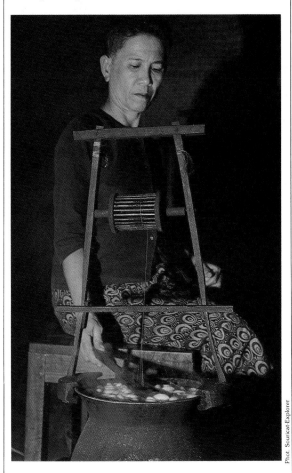

Phot. Souricat-Explorer

un instant, elle plie bagage, au hasard de la demande de ses clients. Ici, un joaillier étale des dizaines de milliers de dollars de bijoux à la convoitise des badauds. Une porte plus loin, on répare de vieilles machines-outils. En face, l'« antiquaire » astique des pièces de collection trop brillantes pour être honnêtes. Il accroche déjà le chaland en quête d'une bonne affaire. Un peu plus loin, la poste, quelques imprimeurs, d'autres joailliers, un concessionnaire de réfrigérateurs, un ven-

Il faut une dextérité fantastique, une patience infinie et des semaines entières pour traiter le cocon de soie jusqu'à lui donner la forme d'une grosse bobine d'un fil ténu. C'est alors qu'un autre travail commence : celui du tissage. La soie thaïe naturelle présente ces petits défauts d'aspect qui donnent au tissu tout son cachet, toute sa valeur, toute sa vérité.

deur de cassettes ayant mis la sono à fond, d'autres « antiquaires » astiquant les mêmes statuettes trop scintillantes, un négociant en pain de glace, un temple chinois, deux restaurants mal famés, un marchand de photos, d'innombrables charrettes de quatre-saisons où s'étalent des fruits délicieux, du jus de sucre de canne, des soupes minute, des boissons aux couleurs trop acides pour être naturelles, un diseur de bonne aventure, la banque American Express, l'ambassade de France... et un salon de massage !

Sans tout cela, à tout instant, et partout, Bangkok ne serait pas Bangkok. Le cocktail est parfait lorsqu'on ajoute aux effluves venant de la rivière toute proche un taux d'humidité de l'air proche de 90 p. 100, une température de 35 °C et le vacarme de la circulation.

Insupportable, mais envoûtant. Fascinées, les jeunes paysannes, qui viennent vers ce qu'elles croient être un paradis, y trouvent immanquablement l'enfer de la prostitution. Les garçons, pour survivre, vont grossir les rangs des délinquants.

Pour ceux qui restent à la campagne, le choix est donc fort simple : ils doivent rester en famille et suivre la règle familiale et communautaire. Famille et village occupent, bien sûr, une place essentielle dans la société thaïlandaise ; on peut rappeler à ce propos que le village *(muban)* constitue l'unité administrative de base du pays. Son chef, le *phu gnay ban,* est un des personnages clés de la société rurale ; c'est en partie sur lui que repose la cohésion de la communauté villageoise ; il règle les différends privés et publics, organise les actions coopératives, négocie avec l'extérieur, participe à l'élection du chef de *tamboon* (le tamboon est l'équivalent de notre canton).

Afin d'échapper à ce choix entre ville et campagne, qui, à l'évidence, n'en est pas un, il reste la possibilité de la scolarisation. Celle-ci peut sembler un moyen radical pour améliorer la condition des Thaïlandais, remédier à la délinquance et assurer le développement du pays. Mais alors le paradoxe est frappant.

En effet, le taux d'alphabétisation est élevé dans le pays (il était de 87 p. 100 en 1980). Mais le niveau des connaissances est, en général, assez bas et, bien souvent, le bagage que l'on acquiert à l'école se limite à savoir lire, écrire, compter, ainsi les chances d'accéder aux études supérieures ou même secondaires sont-elles minces.

De plus, l'enseignement obligatoire dure sept ans, mais reste à la charge des parents : uniformes, livres et frais de déplacement deviennent rapidement un fardeau insupportable lorsque la famille est nombreuse, ce qui est très souvent le cas.

Certes, il existe une alternative : l'enseignement gratuit dispensé par les moines dans les écoles religieuses du temple (l'alternative ne concerne, en fait, que les garçons, puisque les filles ne sont pas admises à suivre des études monastiques). Cette solution peut cependant constituer une arme à double tranchant pour qui doit vivre longtemps dans le village.

En fait, le conservatisme dont fait preuve le paysan quant à l'éducation de ses enfants tient en quelques termes apparemment inconciliables : la scolarisation est trop longue, mais insuffisante ; elle coûte trop cher, et l'éducation gratuite des moines est trop tendancieuse. On a de plus en plus besoin des enfants pour travailler la terre et faire face aux dépenses, mais il n'y aura bientôt plus de terre pour qu'ils puissent en vivre !

Ici se célèbre la fête des éléments. La croyance thaïe ne se limite pas à la seule pratique de l'enseignement bouddhique. Les convictions animistes se retrouvent dans un ensemble de rituels dédiés aux forces naturelles qui composent l'environnement quotidien.

Phot. Dumas-Fotogram

Au village
des fabricants d'ombrelles

D'origine chinoise, l'artisanat de l'ombrelle répond à une nécessité simple : disposer d'un abri à la fois contre la pluie et contre le soleil. L'ombrelle en papier huilé remplit parfaitement ce rôle. Légère malgré sa taille imposante (environ 1 m de diamètre une fois dépliée), très solide pour résister aux rafales incessantes du vent de mousson, étanche sous les pluies diluviennes qui s'abattent régulièrement, l'ombrelle donne de la fraîcheur, pendant la saison sèche, tout en tamisant la lumière violente du soleil de plomb.

Un objet d'usage courant ne pouvait être conçu en Thaïlande comme un simple ustensile. Il lui fallait la beauté en plus. Une véritable tradition de l'ombrelle est donc née dans la région de Chiang Mai. Des ateliers de fabrication se sont constitués pour assembler les fines corolles de bois soutenant les baleines, et coller minutieusement le papier huilé en plusieurs épaisseurs sur le cadre. Vient ensuite la phase de la décoration : des jeunes femmes, d'une dextérité surprenante, brossent en quelques minutes des tableaux multicolores, des motifs géométriques et des fleurs sur la partie extérieure de l'ombrelle, avant que le vernis final ne fige définitivement les couleurs et ne protège ces œuvres d'art.

Une ombrelle de bonne qualité résiste des années aux tortures du temps et des conditions atmosphériques.

Phot. Menis-Diaf

Phot. Moisnard-Explorer

Phot. Huguier-Explorer

La tradition écrite et orale

LE CIMENT DE LA CROYANCE coutumière du peuple thaïlandais est entre les mains des religieux. Elle a même son lieu : le *wat*, le monastère. Il aurait été vain de parler des Thaïs sans parler de leur profonde déférence envers la croyance bouddhique.

Il n'en a pourtant pas toujours été ainsi, puisque au IIIᵉ siècle, la cosmogonie thaïe se confondait avec le culte des ancêtres chinois. En témoignent encore les innombrables petits autels ornant les maisons, les carrefours des grandes villes, et même les temples chinois qui n'attirent pas seulement les fidèles d'origine chinoise.

Après avoir côtoyé les influences hindouistes introduites par l'intermédiaire des marchands indiens, puis les influences du royaume khmer alors à son apogée, la civilisation thaïe s'est tournée vers le bouddhisme. Et, comme chaque fois qu'une conversion se fait rapidement, la foi reste pure. Cela explique le particularisme du bouddhisme thaï. En effet, les Thaïs partagent avec les Ceylanais le privilège d'être restés fidèles au bouddhisme initial, c'est-à-dire aux enseignements du bouddha historique, Siddhārtha Gautama, et au culte de sa personnalité, laissant de côté tout le panthéon des autres bouddhas, « Presque Bouddha », dont raffolent les adeptes du Grand Véhicule.

L'influence de la religion sur le peuple thaïlandais est considérable. Plus de 200 000 hommes en robe safran

Contrairement au clergé catholique, les congrégations religieuses bouddhistes se composent, pour une grande part, de laïques souhaitant consacrer une période volontairement limitée de leur vie à la pratique religieuse, à la découverte et à la bonne connaissance des textes sacrés. À leur entrée au monastère, ces bonzes ont fait le vœu de mendicité. Chaque matin, passant en procession de porte en porte, ils recueillent auprès des villageois les dons en nourriture qui composeront leur repas quotidien.

Ici le temple de marbre de Bangkok. Toute la culture thaïlandaise s'oriente autour du monastère. La fréquentation quotidienne, importante à l'heure des offices, la richesse des offrandes et les dons au temple, le nombre des audiences accordées par les moines témoignent de ce rôle capital tenu par le monastère. L'enseignement gratuit dispensé aux enfants et aux illettrés, et la présence de laïques parmi les religieux renforcent constamment le lien qui unit la population à ses institutions. En fait, l'autorité morale s'exerce ici sans contrainte et semble inexpugnable.

Phot. S. Held

Du matin au soir, la procession des fidèles allant au temple déposer leurs offrandes semble ne jamais finir. De l'homme d'affaires au paysan, de la jeune fille au vieillard, tous auront cette pensée, ce petit geste quotidien pour le lieu où siège le Bouddha : on se déchausse, on s'agenouille, on se recueille un instant, en tenant un bâton d'encens et quelques pétales de fleurs entre ses mains jointes. Les pétales sont lancés vers la statue, comme pour inviter l'« Illuminé » à mieux inspirer le fidèle. Le bâtonnet d'encens s'ajoute à quelques centaines d'autres dans une énorme jarre de cuivre, témoignant d'une piété quotidienne.

Les tribus akhas sont les plus farouches et choisissent toujours un site isolé pour placer le village, généralement le sommet d'une colline. Les Akhas se déplacent de quelques kilomètres tous les trois ou quatre ans. En fait, les habitants quittent le site dès que la terre aux alentours est devenue inculte. Cela explique le caractère sommaire de l'habitation. Construite sur pilotis, la maison est facilement démontable et transportable.

La présence de nombreuses tribus semi-nomades dans le nord de la Thaïlande est un régal pour le voyageur, mais un véritable cauchemar pour le gouvernement. Ces tribus ignorent les frontières et se promènent à leur guise d'un pays à l'autre, rendant difficile tout projet de sédentarisation et impossible tout recensement. Ici, une femme lahu.

Phot. L. Boucaud

dominent le pays. Ils représentent le savoir, le bon sens, et l'ordre établi.

Le *wat*, le temple, est non seulement le lieu de célébration du culte, mais aussi une bibliothèque, une école, un lieu de rencontre à l'attention des profanes qui viennent par centaines, chaque jour, demander un conseil, se faire expliquer un texte sacré, et surtout assister à l'enseignement dispensé. Nombreux sont ceux qui ont fait une retraite, un noviciat de quelques mois, au moins une fois, avant de débuter dans la vie active. C'est presque une obligation qui est faite au fidèle, même s'il ne s'agit que de rester quelques jours au monastère.

Pour entrer en religion, la règle est très simple : il faut être majeur ou avoir l'accord de ses parents, et n'être l'objet d'aucune poursuite judiciaire. Alors, le novice peut s'initier aux enseignements du Bouddha, par la répétition de préceptes sous la forme de formules, par le dialogue avec les moines, par la lecture de textes sacrés rédigés en sanskrit et par la méditation.

Phot. S. Held

Le novice devra suivre des règles strictes d'abstinence, d'ascétisme, vivant d'une mendicité quotidienne, sans posséder d'objets personnels ni de revenus, pendant tout le temps nécessaire à son apprentissage ou à son « stage ».

La vie est réglée selon un rythme immuable : lever avant le soleil, prière du matin, sortie pour mendier la nourriture quotidienne auprès des villageois, prière de midi, repas principal de la journée, lecture et méditation, prière du soir, lecture et méditation jusqu'au soir. Cette liaison constante entre le peuple thaïlandais et

Femme lissu portant le costume traditionnel. Les tribus lissus, d'origine sino-tibétaine, sont arrivées récemment en Thaïlande et ont dû s'installer dans des régions

très déshéritées. Moins agressifs que les Akhas, les Lissus sont aussi repliés sur eux-mêmes, mais leur habitat indique une volonté de se sédentariser.

ses bonzes entraîne une grande influence sur la vie communautaire. Force est de constater que l'enseignement gratuit dispensé dans les *wat* tend vers un conservatisme, ou plutôt vers une neutralité bienveillante envers l'ordre établi.

Les esprits

L'ENTRETIEN DU TEMPLE, les réparations à y faire, les offrandes aux bonzes sont pour les laïcs, selon la croyance populaire qui interprète ici librement la doctrine du *karma*, autant d'occasions d'acquérir des mérites dont il sera tenu compte dans une vie future. Cependant point d'excès, ni de crispations, dans les attitudes pieuses ; la dévotion présente ici un aspect débonnaire auquel on n'est guère habitué en Occident. Le bouddhisme est tolérant — c'est un lieu commun de le dire — et s'accommode fort bien non seulement des religions révélées, mais aussi des vieilles croyances animistes.

Il s'accommode fort bien également des pratiques astrologiques héritées de la grandiose cosmogonie brahmanique ; et de nos jours encore, les Thaïlandais y recourent fréquemment. Les astrologues peuvent être sollicités à l'occasion de cérémonies privées ou publiques ; ils en examinent le bien-fondé, en déterminent le moment propice : ils peuvent ainsi donner la date d'un mariage, d'un voyage, d'un déménagement et même celle de la promulgation d'une constitution.

Le port d'amulettes, suspendues au cou, est fréquent : il s'agit de conjurer le malheur ; et les tatouages, dans les campagnes, ont encore la vertu d'écarter les mauvais esprits. Dans presque tous les foyers thaïs, on peut voir un sanctuaire miniature, installé sur un pilier, à hauteur d'homme, et situé de telle sorte qu'à aucun moment de la journée il ne se trouve dans l'ombre de la maison : c'est la demeure de l'esprit des lieux, un esprit que l'on a dérangé en s'installant à cet endroit, et auquel il importe de faire des offrandes si l'on veut se le concilier.

Phot. Dumas-Fotogram

La **porteuse d'eau**
Vivant au sommet des collines, la tribu akha est éloignée de tout point d'eau et doit assurer elle-même son approvisionnement. Pour cela, les femmes placent sur leur front une lanière de cuir attachée à un joug reposant sur leurs épaules. Ainsi harnachées, elles peuvent porter dans une dizaine de bambous creux une quarantaine de litres d'eau.

La seule caractéristique commune à toutes les tribus du Nord est l'usage de la roupie indienne en argent (le tola), qui sert à la fabrication de bijoux et de parures masculines et féminines.

En fait, bien d'autres survivances du vieil animisme apparaissent à mesure que l'on séjourne dans le pays, dans le Nord notamment, chez les peuples montagnards qui vouent un culte encore très vivant aux esprits de la nature. Il est vrai que ces peuples ont longtemps vécu isolés et ont conservé de ce fait, plus que les autres, leurs modes de vie ancestraux. Ce particularisme ne va pas, bien sûr, sans provoquer la curiosité des touristes, et sans poser quelques problèmes au gouvernement.

Les peuples du Nord

DÈS LE DÉBUT DU XVIIIe SIÈCLE, des tribus chassées de Chine du Sud commencent une longue migration vers l'est. Ces populations semi-nomades sont habituées depuis des siècles à établir de petits villages dans des sites isolés, tels les sommets de collines ou les contreforts boisés de vallées encaissées.

Traversant l'extrême nord de l'Inde, puis la Birmanie, elles trouvent un terrain propice à leur installation dans le dédale inextricable des collines du nord de la Thaïlande.

Les plus anciennes peuplades sont les Akhas ou Ikors, guerriers farouches, vivant de cueillette et de culture, mais surtout de l'exploitation d'autres ethnies travaillant à leur profit. Encore aujourd'hui, les Akhas, difficiles à approcher, sont certainement les plus soli-dement ancrés dans leurs traditions animistes. Ils sont aussi ceux qui ont le moins de rapports avec la civilisation thaïe traditionnelle.

Puis vinrent les Yaos, peuple aux traditions plus raffinées, parlant une langue plus construite et plus subtile. Les Yaos sont des éleveurs de chevaux, mais surtout de très fins commerçants.

Les Méos, ou Hmongs, arrivèrent plus tard ; mais les sites les plus reculés étaient déjà occupés, et les Méos durent trouver leur place dans des régions moins élevées, donc plus proches des villes. Ils devinrent rapidement les intermédiaires désignés entre les tribus et les grands marchés thaïs.

Enfin arrivèrent de Birmanie les Karens, puis les Moussuh et les Lissus et bien d'autres ethnies apportant autant de langues ou de dialectes, de coutumes, et de mode de vie différents.

Toutes ces populations ont pourtant trois caractéristiques communes, qui deviennent les trois plaies de la Thaïlande.

D'abord, ces tribus cultivent toutes le riz sur brûlis, donc en détruisant par le feu d'énormes pans de collines. Après trois ou quatre récoltes, qui ont tôt fait d'épuiser le sol, il leur faut chercher plus loin d'autres terres à défricher, quelles que soient la taille et la valeur des arbres abattus. De telles hécatombes ont causé des dommages irréparables sur des centaines de kilomètres carrés.

La culture du pavot est formellement interdite. Mais la production augmente. L'armée thaïlandaise tente de détruire les plantations, localisées par hélicoptère, mais que faire lorsque celles-ci se trouvent en Birmanie ou au Laos, c'est-à-dire hors du territoire thaï, où toute intervention serait considérée comme un acte de guerre ?

Alors on récolte le pavot, on recueille le liquide visqueux en toute impunité, on l'achemine par mille routes secrètes vers les grands ports de l'Asie, d'où il est exporté. En quelques échanges, le prix a décuplé.

La petite boule grasse est méticuleusement enroulée autour de la pointe fixée au fond de la pipe. D'un geste lent, la pipe est retournée au-dessus de la flamme. Un petit grésillement. Une odeur âcre. Une longue aspiration. Puis une autre. La dose est consommée. Quatre, dix, vingt pipes plus tard, le temps se dilate, l'espace s'écartèle. La mort commence à faire son œuvre. Il lui faudra quelques années de plus pour l'achever.

Phot. Montbazet-Explorer

Phot. Launois-Rapho

Phot. Dumas-Fotogram

Si les champs deviennent trop éloignés du village..., le village est déplacé, et cela rend impossible le principe même de la sédentarisation.

Ensuite, ces tribus ignorent totalement les frontières. Pour ces nomades, les mots « Thaïlande », « Laos », « Birmanie », « Chine » sont des abstractions sans importance. D'ailleurs les membres d'une même famille ne sont-ils pas installés de part et d'autre de la frontière ? De là à exploiter leur parfaite connaissance du terrain, leur extraordinaire adaptation au milieu et l'absence évidente de surveillance sérieuse, il n'y a qu'un pas, allègrement franchi par la contrebande organisée de tout ce que l'on peut imaginer : cigarettes, objets anciens, métaux rares, armes, traite des femmes, mais aussi idéologie, donc guérilla, et résistance des uns contre les autres. C'est ainsi que le Triangle d'or est né ; et il ne fait pas bon s'égarer dans ces collines, ou, pire, rencontrer une patrouille ou un convoi.

Enfin Méos, Yaos et Akhas s'adonnent à la culture du pavot et à la fabrication de la mélasse dont est tiré l'opium. Ce que l'on appelle l'« huile de mort » est acheté ici à des prix dérisoires, et excite des convoitises, engendre des trafics, attire des investissements d'organismes officiels ou clandestins.

Le gouvernement s'est efforcé de détruire ces champs de pavot, de recenser les populations des collines, de sédentariser les villages mobiles, en parquant parfois des tribus entières sur un territoire délimité. Il peut, d'autre part, se prévaloir de sa politique à l'égard des rébellions communistes ; ces rébellions qui s'étaient développées dans les années 1960 sont aujourd'hui très affaiblies, lorsqu'elles n'ont pas disparu. Elles s'étaient renforcées au nord et au nord-est en 1975 avec l'arrivée au pouvoir du Pathet Lao, l'allié d'Hanoi, au Laos, puis avec l'entrée des forces vietnamiennes au Cambodge. Mais les différends sino-vietnamiens, à propos du Cambodge justement, et le soutien apporté par la Chine au régime thaïlandais n'ont pas peu contribué à les faire cesser.

Subsiste toutefois le problème des réfugiés cambodgiens (ils étaient environ 260 000 en 1988) ; comme il n'est pas question, pour le gouvernement, d'en faciliter l'insertion, ils ont été regroupés dans des camps à proximité de la frontière et seront renvoyés chez eux à la première occasion.

En fait la sécurité de la Thaïlande est aujourd'hui d'abord liée à son évolution économique et sociale. Le pays ne manque pas d'atouts : il est aux premiers rangs des producteurs (et des exportateurs) de riz et de caoutchouc ; il exporte aussi du maïs et du sucre, si bien que sa balance agricole est constamment positive. L'endettement des paysans (qui forment l'essentiel de la population) vient cependant assombrir le tableau. Le pays est riche, aussi, de ses mines d'étain, mais il compte davantage sur les gisements de pétrole récemment découverts, sur ceux de gaz naturel du golfe du Siam, et sur les orientations nouvelles de son industrie (vers l'électronique et la pétrochimie notamment) pour accélérer son développement.

Enfin la conscience qu'ont les Thaïs d'appartenir à une nation dont l'unité est encore renforcée par le bouddhisme, la langue et la vénération qu'ils portent à leur roi et à l'institution monarchique, n'est pas le moindre de leurs atouts. Cette conscience leur a permis de surmonter les pires difficultés, conservant sans défaillir leur intégrité. « Thaï » — le saviez-vous ? — signifie « libre ».

Danse traditionnelle. Cristallisation de gestes précis et codifiés, la danse est essentiellement la représentation des grandes légendes hindouistes. Le raffinement des postures traduit en vérité les sentiments de chaque personnage. L'enseignement chorégraphique, extrêmement long, nécessite des aptitudes particulières, un entraînement intensif et un recrutement dès le plus jeune âge pour parvenir à une telle perfection.

L'INDONÉSIE

Il n'est de voyageur qui ne soit subjugué devant la diversité d'un pays aussi vaste.
Comment trouver le fil conducteur qui mène à sa compréhension ? Si, de prime abord,
cela semble impossible, à l'examen plus minutieux, il se dégage de chaque région
une tradition millénaire et bien vivante malgré les guerres, les influences hindouistes
et bouddhiques assimilées, une certaine adaptation de l'islām, et malgré le poids
aussi d'une présence hollandaise de quatre cents ans. Si les Bataks de Sumatra ont
foulé au pied cette tradition à l'approche du modernisme — ce qu'ils regrettent
d'ailleurs —, si les Javanais l'ont préservée contre vents et marées, pour en faire
aujourd'hui leur identité, si les Torajas de Sulawesi lui survivent difficilement pour
l'avoir trop respectée, les Balinais, eux, l'ont cultivée jusqu'à la perfection. Unique et
multiple, comme la vie même, cette tradition, mieux que survivante, demeure l'âme
indonésienne.

La mer devrait être une importante source de revenus pour les populations côtières. Il n'en est rien, car, si les eaux sont poissonneuses, les Javanais n'aiment guère s'y aventurer. Les Japonais ont saisi l'aubaine et vendent en Indonésie un poisson made in Japan pêché sur les côtes de Java...

L'enfant et le buffle. Le caractère docile de l'animal en fait un compagnon de jeu idéal pour l'enfant ou pour le jeune berger, qui dirigent leur monture à travers champs avec une dextérité et une précision étonnantes.

Village au pied du volcan Bromo. Comme dans beaucoup d'autres villages de Java, le risque de destruction est permanent. Pourtant, les habitants restent dans les environs immédiats du cône, vouant au géant une dévotion mystique qui se traduit par de nombreuses offrandes pour calmer le pouvoir qui règne en ce lieu...

Phot. Fusco-Magnum

Java, le pays des volcans

TOUTE LA FAMILLE est dans la rizière, pataugeant gaiement dans la vase. C'est l'époque du repiquage du riz. Il fait doux en ce matin de printemps. Le soleil est encore bas sur l'horizon. Le temps est au beau fixe. Seul un épais nuage de brume entoure le gigantesque cône du volcan Merapi, qui constitue, comme partout dans l'île, la toile de fond classique du paysage javanais.

La journée de travail sera pénible : huit ou dix heures passées, le dos courbé au-dessus de la *sawah*, à placer avec une minutie extrême la minuscule pousse de riz qui grossira en quelques semaines pour donner une magnifique gerbe dorée. Ici, la terre est d'une grande fertilité. Il en a toujours été ainsi.

Une forte déflagration déchire l'espace. Le père se relève vivement et regarde le volcan : le sommet du cône a été pulvérisé sous la formidable pression des gaz. En quelques instants, le ciel se couvre d'un nuage épais. La terre tremble. Un flot de lave incandescente dévale bientôt les flancs de la montagne. Trois jours plus tard, un fleuve de lave tiède, long de 30 km et large par endroits de 2 km, a tout dévasté, laissant derrière lui 200 morts et 10 000 sans-abri. La fertilité est à ce prix en terre javanaise.

Terre de vie, terre de mort, ou la loi du volcan

NULLE PART dans le monde, il n'existe un tel ensemble de volcans en activité. Les experts ont établi de subtiles distinctions, entre volcans actifs, volcans à haut risque, volcans à forte probabilité, volcans en sommeil relatif ou volcans solfatariens, pour différencier en fait ce qui se présente comme une énorme bouilloire sous pression, composée d'une centaine de cônes immenses à l'aspect menaçant.

Un simple survol de l'île de Java suffit pour comprendre les données complexes du problème de l'île : un territoire très exigu coincé entre mer et montagne, une surface arable extrêmement limitée et souvent gagnée sur la montagne, une étonnante fertilité des sols, une végétation exubérante, une population en trop grand nombre, décidée à exploiter, quelles qu'en soient les conséquences humaines, sociales ou économiques, le produit de cette manne littéralement tombée du ciel.

Java fut, de tout temps, l'objet de toutes les convoitises, la clé de toutes les invasions, le centre de toutes les guerres, le berceau de toutes les civilisations, le sanctuaire de toutes les religions. Le plus surprenant est que l'habitant de Java vit quotidiennement, encore à l'heure actuelle, bien des aspects de cette diversité d'inspirations, d'influences et de traditions. Au fil des siècles, il en a fait sa propre tradition.

Au premier abord, le visiteur hésite devant l'incroyable entrelacs de maisons qui s'étend sans discontinuer sur des dizaines de kilomètres : un village sans début ni fin. Et, pourtant, avec l'habitude, on distingue bien des différences dans ce qui semble n'être qu'uniformité.

Ici, près de Jogjakarta, les maisons sont petites, construites sur pilotis. Le mur est le plus souvent fait

La cueillette du thé aux environs du col de Puncak. La route qui mène de Jakarta à Bandung serpente sur les flancs d'une montagne couverte de plantations. Quelques instants suffisent au visiteur pour juger de la diversité des plants et de l'extraordinaire minutie dont font preuve les jeunes femmes pour recueillir les fragiles extrémités de la tige.

La **rafflésia**, la plus grande fleur du monde, s'épanouit dans le centre de Sumatra, et plus particulièrement dans la région de Bukkitinggi. Ce monstre de la nature déploie sa corolle sur plus de 1 m de diamètre, mais ne croît qu'à la fin de l'hiver, donnant à l'observateur un spectacle éphémère.

de bambous tressés. Le toit, à pente cassée, composé de tuiles rondes, protège la famille des pluies diluviennes qui s'abattent périodiquement sur l'île. Cette légèreté de construction s'explique par la fréquence des tremblements de terre. L'assemblage fragile est assez souple pour plier sans rompre, assez bien conçu pour s'aplatir sans grand dommage, comme un château de cartes, lorsque le séisme est trop fort. Quelques jours suffisent alors pour remonter les éléments de l'habitat. Là aussi, l'homme doit tenir compte des soubresauts du volcan.

Là-bas, vers Surabaya ou vers Bandung, la maison est établie à même le sol. De solides murs de briques, un toit à quatre pentes cassées expliquent déjà le monde qui sépare en fait le Javanais de la région de Jakarta, le Sundanais de Jogjakarta et le Madourais de Surabaya. Trois univers faits d'ethnies, de langues, de traditions radicalement différentes, sur une même île. La famille, très nombreuse, s'entasse dans l'unique pièce de l'habitation. Le plus souvent, quatre générations se côtoient, dans une promiscuité caractéristique de la difficulté que rencontrent les Javanais pour se loger dans la région.

La terre est, en effet, trop rare pour que s'établisse chaque foyer. Le travail est, par ailleurs, insuffisant pour l'énorme population, et seulement 25 p. 100 des gens ont un travail régulier. Les autres, au fil des occasions, acceptent çà et là de menues besognes dans le village. La famille vit repliée sur elle-même, exploitant en général quelques arpents de terre, quelques ares, rarement plus d'un hectare. Mais quelle terre ! Certes, chaque lopin doit être péniblement arraché à la montagne, puis méticuleusement borné, nivelé, débarrassé de toute impureté, mais une fois cultivé, il semble ne jamais devoir s'épuiser, produisant avec succès riz, café, thé, tabac, cacao, kapok, quinquina, girofle, poivre, maïs, arachide, sisal et épices les plus diverses. Les rendements sont surprenants, malgré l'absence de fertilisants et de fongicides, et même si, à force d'exploiter au maximum son potentiel, la terre finit par se fatiguer momentanément, pour repartir de plus belle... quelques mois plus tard. Une famille de 15 ou

20 personnes vit donc sur le revenu de quelques centaines de mètres carrés. Il en a toujours été ainsi.

À l'époque du colonisateur hollandais, les immenses fermes d'État, qui couvraient les « grands espaces », produisaient pour l'oppresseur. Aujourd'hui, ces fermes d'État (farms) donnent la priorité aux cultures commerciales, tandis que les exploitations privées (estates) accordent la prédominance aux cultures vivrières.

En réalité, peu de choses ont changé pour le paysan, si ce n'est qu'il lui faut trouver toujours un peu plus près du « cône de fertilité et de mort » la terre nécessaire pour faire vivre une population en croissance constante. Ici encore, le volcan dicte sa loi. Elle est dure comme la tradition (adat) de ce peuple.

La tradition du batik et la brume des rizières...

DANS TOUS LES PAYS situés sur l'équateur, le jour se lève tôt et se couche invariablement à la même heure, tôt aussi. Le rythme de la vie ici est naturellement réglé

Le travail du batik. Chaque ligne, chaque point du dessin est suivi au millimètre par cette ouvrière. La cire chaude s'écoule du petit réservoir qu'elle tient en main et dont elle régule le débit sur le tissu pour occulter les parties qui ne devront pas être teintées. Après un premier bain de teinture monochrome, il faut gratter et rincer toute la cire, puis « réserver » à nouveau toutes les parties qui ne devront pas non plus recevoir la deuxième coloration. Et ainsi de suite, des jours durant, jusqu'à l'obtention du résultat souhaité, fait parfois de six ou huit colorations différentes et ayant nécessité des semaines de travail pour une pièce de valeur.

sur Mata Hari (l'œil du jour), le soleil. Le village se réveille vers cinq heures et, dès six heures, le marché s'improvise sur la place du village, un espace laissé libre entre deux maisons.

Ce marché est le domaine des femmes javanaises. Toutes portent le sarong, fine pièce de coton alliant les couleurs les plus audacieuses et qui, habilement ajustée autour des hanches, tombe jusqu'à terre. Elles sont une centaine installées à même le sol, au milieu de leurs paniers d'osier bien rangés. Les discussions vont bon train, ponctuées d'éclats de rire. De grands gestes expressifs soulignent encore la bonne humeur, la gaieté et le tempérament enjoué du Javanais. Ici, le coin des fruits exotiques, avec, proches des litchis par le goût mais présentant des aspects différents, les mangoustans, les ramboutans, les salaks, sans oublier les pestilentiels durians, les bananes, les mandarines et les pommes. Là-bas, le coin « restauration », car, si les légumes proviennent du jardin, les Javanais aiment acheter des brochettes *(satays),* des salades composées, des soupes variées à l'infini, pour agrémenter les repas. Parfois même, une famille entière mange « au restaurant de quatre sous ». Un peu plus loin, l'odoriférant coin des épices et des graines, puis le marché aux oiseaux, pour lesquels les Javanais font des folies : en effet, l'oiseau, symbole de liberté, est présent dans tous les foyers.

À quelques mètres de là, un « médecin » distille ses conseils et ses médications à l'aspect douteux : le *dukun,* sorcier-médecin-astrologue-psychothérapeute-voyant, ne saurait manquer une matinée de marché.

Après le marché de la viande, voici le coin élégant des tissus. La tradition du batik fait partie de ce que l'on appelle la « javanité » ; c'est un artisanat d'art. Cette technique de teinture à la cire, en réserve, comprend d'innombrables trempages, colorations et rinçages. C'est ainsi que des dizaines de femmes, réunies en atelier, travaillent inlassablement à l'élaboration de véritables chefs-d'œuvre de géométrie, de couleurs et d'inspiration, qui diffèrent selon l'utilisation envisagée : le batik traditionnel est géométrique et destiné aux vêtements. Il est résolument classique dans ce qu'il convient de nommer « peinture », pour illustrer des thèmes religieux ou des légendes ; et véritable toile de maître lorsque des peintres se saisissent de la technique pour faire exécuter leurs œuvres, donnant ainsi une renommée internationale à une pratique artisanale plusieurs fois centenaire.

La récolte du riz. Tout un village se réunit parfois sur une seule rizière afin de recueillir au plus vite les gerbes mûres. Quelques jours de retard, une mauvaise averse, un gros coup de vent ont tôt fait de ruiner une famille entière pour quelques mois. À travers les siècles, il s'est créé une solidarité entre les habitants, qui ont ainsi façonné une de leurs traditions : celle de l'entraide. Pour ne perdre aucune récolte, la maturation des parcelles est décalée.

Tandis que les femmes teignent la toile, les hommes sont aux champs. Dès la pointe de l'aube, le paysage se ponctue de milliers de silhouettes courbées à la tâche. Une fine brume estompe la tendre couleur des rizières. Au loin, la masse impressionnante de la chaîne volcanique crée une toile de fond noirâtre, sur laquelle se détachent les détails du paysage quotidien : des bosquets de cocotiers et de palmiers groupés autour des frêles habitations au milieu des rizières miroitantes, d'interminables files de charrettes tirées par des buffles, qui acheminent lentement la récolte de riz vers les greniers à riz collectifs.

Le travail aux champs s'interrompt vers onze heures, lorsque la chaleur est trop forte. C'est alors l'heure du déjeuner, pris rapidement, puis des travaux collectifs *(kerdja bakti)*. En effet, chaque villageois doit à son village une partie de son temps pour aménager le cadre de vie : l'entretien des abords de route, l'édification des digues d'irrigation, la réparation d'une maison sont essentiellement les buts du *kerdja bakti,* autre grand trait caractéristique de la javanité. Les activités habituelles reprennent vers trois heures, pour se terminer par le grand bain collectif dans le point d'eau du village, à la tombée du jour. Mais la vie de la communauté ne s'arrête pas pour autant. Avec la nuit commencent les activités artistiques, omniprésentes à Java.

... Et puis le théâtre d'ombres

À PEU PRÈS PARTOUT dans l'île, mais plus particulièrement dans la région de Jogjakarta, la javanité trouve son ultime illustration. À Java, environ 100 millions d'êtres, officiellement musulmans, vivent dans le respect d'une tradition d'origine hindo-bouddhiste. En effet, la quasi-totalité des légendes, les innombrables temples, presque chaque célébration officielle sont empreints de références à un passé, certes prestigieux, mais lointain.

À commencer par la danse, qui relate, en termes dissimulés, les grandes épopées de l'hindouisme, le *Mahābhārata* et le *Rāmāyana*. Si les noms des personnages sont parfois changés pour ceux des rois ou des princes de Java, les symboles restent ceux des grandes légendes de l'Inde traditionnelle. Seules, la cristallisation du geste, la fixité des postures, la lenteur du développement chorégraphique ont été adaptées à la mentalité locale, plus expressive et plus spontanée. La tradition a cependant maintenu l'aspect de la danse classique indienne, mais, tournant en dérision le danseur statuesque du drame indien, elle en a fait... une

marionnette. Le *wayang kulit,* le célèbre théâtre d'ombres javanais et le *wayang golek,* la marionnette sur tige, étaient nés.

Et le village se presse pour assister à l'extraordinaire numéro de virtuose auquel se livre le manipulateur récitant *(dalang)*. Pendant toute la nuit, l'artiste interprète tous les rôles, faisant sans cesse rebondir une action où plus de cent personnages entrent en scène.

Le gamelan. Tour à tour lancinantes et brutales, agressives ou lénifiantes, poétiques ou démentielles, les nuances musicales varient à l'infini par le talent du métallophone. La tradition musicale s'est transmise de bouche à oreille depuis des siècles, sans qu'une note ait été écrite. Il en va ainsi de toutes les civilisations fortes de leur acquis et fières de leur richesse... La dextérité des instrumentistes est stupéfiante. Aucun interprète ne connaît les lois de l'harmonie et ne dispose de toutes les notes de la gamme. Il doit donc interrompre « mille fois » sa phrase musicale pour laisser d'autres instrument intercaler les notes manquantes, dans un rythme le plus souvent endiablé, ce qui nécessite pour l'ensemble un synchronisme parfait.

Quelle virtuosité ! À la lumière d'une petite lampe à huile, le *dalang* tient parfois quatre marionnettes dans chaque main, change mille fois de voix, brode à loisir sur les événements récents de la vie du village, sans perdre le fil de l'histoire, relance l'énigme, introduit encore d'autres personnages — que chacun reconnaît immédiatement à leur apparence — et suscite l'intérêt de son auditoire jusqu'au petit jour.

une tradition trop forte pour être oubliée ? Sans être aussi catégorique, on peut cependant constater que le Coran est parfois malmené par des habitudes millénaires : l'existence des chamans, prêtres-médecins soignant le mal par l'hypnose et par la transe, la survivance des rites de sacrifices d'animaux jetés vivants dans le cratère du volcan Tangkuban Prahu, le culte animiste du feu, l'observation peu stricte du

Les personnages du théâtre de marionnettes, le wayang kulit du théâtre d'ombres, sont finement ciselés dans le cuir de buffle et montés sur une tige en corne avant d'être montrés en spectacle par cet extraordinaire artiste qu'est le dalang. Avec le seul soutien du gamelan, le dalang tient son assistance en haleine durant toute une nuit, profitant souvent de vieilles légendes pour aider un chef de village à convaincre la population ou à vider une querelle qui nuit à l'ambiance dans la communauté, ou encore pour enseigner concrètement des lois ou des méthodes nouvelles que la radio et la télévision ne peuvent « faire passer », faute de pénétration et de crédibilité. Les wayang golek, petites marionnettes en volume, ont aussi leur programme de télévision hebdomadaire, mais sont plus fréquemment utilisées pour la présentation des légendes javanaises, très prisées des grands comme des petits.

Phot. Jaffre-Durou

L'orchestre est le seul soutien réel du *dalang* au cours de la présentation : le gamelan, la base de toute la musique, formidable ensemble de métallophones minutieusement juxtaposés, constitue la plus belle illustration de cette fidélité à la tradition. La complexité du maniement de chaque instrument, le raffinement rythmique et mélodique des thèmes musicaux, le fait que les instrumentistes sont en général des amateurs et que pas une note de musique n'a été portée sur le papier depuis des siècles permettent de comprendre que la tradition orale javanaise (et plus tard balinaise) est inexpugnable, mais surtout que l'islām est impuissant à vaincre une telle force.

Dans la plus grande nation islamisée du monde, l'enseignement de Mahomet serait-il taillé en pièces par

Phot. J. Bottin

ramaḍān et la référence constante au calendrier chinois sont autant d'entorses à la stricte orthodoxie musulmane, ici dans l'obligation de composer avec l'*adat*. À l'instar d'une population aimable et généreuse, la religion est devenue plus agréable, moins militante. Le seul aspect inquiétant pour l'islam est l'association qui se fait dans l'esprit de la population entre une religion assez rigoriste en théorie et le pouvoir central de Jakarta, qui tente, par tous les moyens, d'assimiler les minorités ethniques, d'uniformiser la langue, de laminer les identités locales au nom du progrès.

Face au développement de l'enseignement du bahasa indonesia, langue officielle créée vers 1930, face à la scolarisation, qui tourne à la militarisation, le Javanais, le Sundanais et le Madourais répondent par l'usage de leur langue locale, le retour au costume traditionnel, à la coiffe javanaise comme pour mieux affirmer l'existence d'une civilisation plus ancienne, plus subtile que la « religion de Jakarta ». Ainsi la conviction religieuse rejoint-elle la conviction politique, et la javanité devient symbole d'opposition au régime.

Tous les matins le surplus de la production de chaque foyer (quelques agrumes, quelques volailles) est vendu sur le marché, troqué au meilleur prix, donnant aux familles l'essentiel de leur revenu en numéraire. L'attention avec laquelle les femmes soupèsent, analysent, comparent et sélectionnent chaque denrée en dit long sur l'importance du moindre achat dans un pays en voie de développement.

La lame redoutable du kriss mystérieux

DE TOUT TEMPS, Jogja a été le fer de lance de la résistance, le berceau de toutes les révoltes. Dès le XVIᵉ siècle, Jogja résistait aux Hollandais. Les premiers soulèvements populaires qui menèrent l'Indonésie à l'indépendance, en 1950, furent organisés à partir de la capitale javanaise : ville estudiantine, ville d'artistes, ville de révoltés et de grands chefs militaires, Jogja est tout cela à la fois. Lorsqu'une cité abrite les plus beaux monuments hindouistes du pays (l'ensemble des temples du Prambanan), mais aussi le plus grand temple bouddhiste du monde (Borobudur), lorsque la création artistique y est omniprésente et que les écoles de danse y ont formé en quelques siècles les plus grands créateurs du pays, on peut affirmer que cette cité est une entité à part, disposant d'ailleurs en Indonésie d'un statut particulier. Et chaque habitant de Java central en est parfaitement conscient. Il sait préserver la richesse

unique de ce patrimoine artistique au cœur même de la tradition.

Le kriss constitue peut-être le plus fort symbole de la javanité. Ce long poignard d'origine malaise, très ouvragé, à lame ondulée, dissimulé dans un fourreau richement décoré, exacerbe bien des imaginations. C'est l'arme javanaise par excellence. Au cours des siècles, sa fabrication s'est entourée de mystère. La composition du métal de la lame (alliage de trois métaux), sa longueur, le nombre impair de ses ondulations et l'artisan lui-même furent pris dans la mystique et la complexité du symbolisme. Ses possesseurs attribuent au kriss les vertus les plus magiques. Il confère puissance, virilité, richesse, et bien d'autres choses encore. Tout Javanais vous expliquera en détail que deux kriss placés dans un même coffre se battent la nuit ; que le kriss sort seul de son fourreau et tue... ; qu'il reconnaît le Bien du Mal et fait justice lui-même ; qu'un possesseur indigne tombera sous le coup de sa propre lame ; que l'esprit de son propriétaire le plus illustre sommeille dans le manche.

Surpopulation et transmigration

En 1850, Java comptait 12 millions d'habitants. L'île en a aujourd'hui plus de 100 millions. La natalité atteint 32,1 p. 1000, la mortalité, la plus faible de l'archipel indonésien, ne dépasse pas 12,6 p. 1000. La densité oscille entre 380 et 3 000 habitants au kilomètre carré à Jogjakarta. De tout temps, la question de la surpopulation s'est posée sur l'île. À l'époque coloniale, les Hollandais tentèrent par la force de transplanter les populations vers des zones moins peuplées, mais fertiles. Au nom des livraisons forcées et des corvées, l'histoire de l'Indonésie, du XVIe au XIXe siècle, est marquée de récits de déportations, de massacres perpétrés pour obtenir un rééquilibrage de la population, afin de vider Java, devenue une véritable fourmilière.

Aujourd'hui encore, nombre de moyens sont utilisés pour inciter le Javanais à quitter sa terre natale : donations de terre, incitations au remembrement, offres d'emplois sur les nouvelles exploitations forestières, agricoles ou industrielles de Sumatra, de Bornéo, des Célèbes.

Cette initiative du régime militaire de Jakarta serait tout à fait louable, sans le *transmigrasi,* la transmigration forcée : les terres sont expropriées ou saisies par un jeu habile de prêts et d'endettements, simples à manipuler (parfois, souvent même, les terres sont saisies de force), des familles entières sont déportées et installées dans des régions « pionnières », où la langue diffère et où les coutumes, les conditions climatiques, la nature des sols, les cultures à exploiter sont totalement différentes. Comme par un fait du hasard, les plus belles terres sont expropriées sur Java, et des parcelles en friche ou incultes sont attribuées au paysan. Qui en profite ? Nul ne le sait, ou plutôt, nul ne doit le savoir... Et la colère monte dans la population spoliée.

Quant au paysan expatrié, il ne tarde pas à abandonner sa nouvelle terre, à revenir vers Java et à s'installer auprès des siens. Sans terre, il n'est plus d'aucune utilité et il va grossir le nombre des chômeurs. Il participe au développement d'un sous-prolétariat qui devient la plaie du gouvernement de Jakarta.

En vérité, jamais le paysan javanais ne quittera la terre où il est né, cette terre dont la tradition millénaire lui confère son identité, lui donne sa raison de vivre.

L'attelage de buffle. Depuis des siècles, la vie quotidienne javanaise s'écoule au rythme paisible de ces bovidés. Outil certes, mais aussi œuvre d'art, l'attelage est devenu un signe extérieur de richesse : les panneaux latéraux, de bambous et de roseaux, finement tressés et multicolores, le joug magnifiquement sculpté, le timon qui semble un rostre, et le toit même de la charrette si minutieusement assemblé donnent une grande élégance à cet ensemble, pourtant massif et pesant, destiné à transporter inlassablement des charges de plusieurs tonnes.

La course de taureaux sur l'île de Madura

Vers le mois de septembre se déroulent, dans la région de Pamekasan, ces surprenantes courses d'attelages. Les finales « nationales » donnent lieu à de grandes fêtes populaires. Les vedettes du jour sont ces taureaux magnifiquement harnachés, enrubannés, fleuris, maquillés même pour accentuer encore la majesté de l'ensemble.

Les conducteurs, eux, sont de véritables « casse-cou ». En fait, il s'agit de courses d'accélération et de vitesse sur une distance de deux cents ou trois cents mètres. Chaque équipage est composé de deux taureaux tirant un joug et un timon qui repose directement sur le sol. Le pilote se tient debout sur le timon. Au signal, les attelages prennent le départ par deux ou trois. Le pilote tord vigoureusement la queue des animaux et s'y agrippe parfois désespérément, le temps d'une course effrénée, plus ou moins bien dirigée vers le poteau final.

On ne compte plus les embardées dans la foule ni le nombre des taureaux emballés, rendus fous par les cris des spectateurs et par la douleur, et qui achèvent leur course, avec ou sans pilote, dans la rizière voisine. Mais... telle est la loi de la fête !

Phot. C. Lenars

Phot. C. Lenars

Phot. C. Lenars

Paysage de Sumatra. Chaque détail inspire la sérénité ; les longues pirogues étroites constituent le véhicule habituel sur les eaux calmes du lac Toba ; l'habitat — du moins, ici, ce qu'il en reste — est situé aux abords immédiats de l'eau, soulignant peut-être les origines maritimes des populations bataks.

Orang-outan, mot indonésien, signifie « homme singe ». Doux et pacifique, ce colosse aux yeux tendres vit essentiellement en forêt et installe son aire aux fourches des grands arbres. Il s'approche parfois des villages pour observer les hommes. Son aspect impressionnant et son comportement rarement violent ne tardèrent pas à en faire un animal pourchassé, décimé et capturé sans grande difficulté, servant même d'animal décoratif dans les jardins des familles les plus aisées. La race est maintenant en voie de disparition, aussi les autorités en ont-elles interdit la détention.

Les plantations d'hévéas et la récolte du latex. L'extrême fertilité du sol de Sumatra et l'incroyable diversité des essences capables de s'adapter au milieu ont incité les autorités à développer la culture de l'hévéa. L'exploitation du latex, grosse consommatrice de main-d'œuvre non qualifiée, se situe donc en bonne place dans les priorités économiques nationales. La récolte du précieux liquide ne nécessite pas d'outillage perfectionné et permet une création d'emplois essentielle à la mise en route d'une économie classique dans les régions les plus déshéritées de l'île.

Sumatra, la terre des différences

ILS SONT UNE CENTAINE assemblés au pied de la grande maison : la famille, les amis, le village. Tous les yeux sont braqués vers le haut de cette petite échelle de bois appuyée sous le toit de chaume, contre une porte étroite.

Elle apparaît, un petit sourire timide aux lèvres. Vêtue de ses habits de cérémonie, elle tient amoureusement l'enfant dans ses bras. Gênée, à la fois par l'enfant, par sa longue jupe étroite et par tous ces regards convergents, elle descend non sans mal les quelques marches.

Au pied de l'échelle, une petite foule turbulente éclate de joie : la jeune femme a assis le poupon sur le sol, selon la tradition immémoriale de la tribu — le rite de la mise à terre. Voici 42 jours que l'enfant est né. À partir d'aujourd'hui, la mère n'est plus impure, et l'enfant prend pour la première fois contact avec la terre, symbole de ce monde qu'il doit dorénavant dominer.

« Horas », crie un vieux dans l'assistance.

Que la fête commence au pays batak !

Les forêts silencieuses de l'île tourmentée

SUMATRA est une longue dorsale de 1 700 km de long sur près de 300 km de large, qui émerge de l'océan Indien à quelques dizaines de kilomètres de la Malaysia et de Singapour. Sumatra (473 606 km^2), la cinquième île du monde, s'étend de part et d'autre de l'équateur. De formidables pressions tectoniques ont soulevé le socle de la Sonde, entraînant la formation de massifs, qui culminent à 3 800 m d'altitude (mont Indraputra), constellant le paysage sur toute sa longueur de volcans en activité, entrecoupant le relief de cassures profondes, déchirant puis basculant une plaque immense pour former, à l'ouest, une côte rocheuse escarpée, aux abords difficiles.

La région, au climat équatorial, est humide (plus de 2 m d'eau par an) et soumise à la mousson. Du territoire Atjeh, au nord, jusqu'aux vastes plaines de la région de Palembang, l'île, royaume de la jungle et des grands arbres, est recouverte d'une végétation d'une densité et d'une variété insoupçonnables : un hectare de terrain abrite parfois plus de cent espèces d'arbres, de fougères arborescentes, de buissons et de lianes.

Par définition, Sumatra est difficile d'accès, tant pour atteindre ses côtes que pour pénétrer vers l'intérieur. Par sa position géographique, l'île a pourtant été soumise aux influences les plus diverses au cours des

siècles, donnant ainsi refuge à des civilisations qui, au fil du temps, se sont développées dans un isolement quasi total.

La principale route de l'île, baptisée pompeusement Transsumatranaise, nous éloigne du grand port du Nord, Medan, avant de s'enfoncer au cœur de l'énorme massif. Les passages en pleine forêt semblent des tunnels tant la lumière peine à percer l'incommensurable végétation. L'itinéraire n'est que méandres dans cet enfer vert où la moindre fougère mesure 5 m de haut.

La transformation complète du latex implique une consommation d'énergie importante et l'utilisation de technologies nécessitant une main-d'œuvre qualifiée, des exigences qui ne sont pas toujours satisfaites en Indonésie. Seule, la mise en forme première de la matière brute est assurée, limitant ainsi la plus-value donnée au latex, privant le pays des bénéfices de la commercialisation d'un produit fini directement accessible et laissant de grandes sociétés internationales fabriquer des articles dont le pays a le plus grand besoin et qui doivent être payés au prix fort.

Phot. C. Lénars

Phot. Gerster-Rapho

Ces collines sont la demeure des tribus karos bataks, proches cousins protomalais des Tobas Bataks, vers lesquels nous nous dirigeons. À quelques centaines de mètres de ce que certains appellent « la route », un village karo est blotti au couvert des grands arbres : une dizaine de solides bâtisses carrées, construites sur pilotis autour d'une vaste cour en terre battue. Les immenses toits de chaume à quatre pentes, ornés de têtes de buffle sculptées, ne laissent que peu de hauteur aux murs de la maison.

Sur un côté de l'habitation, une minuscule porte et deux petites fenêtres laissent filtrer un trait de lumière vers l'intérieur, signe de la méfiance et de l'isolement volontaire caractéristiques des minorités ethniques du pays.

Le village s'est vidé en quelques secondes, offrant le spectacle désolant d'objets usuels et d'outils abandonnés à la hâte. On craint le visiteur en pays karo. Le silence qui règne sur le village et sur la forêt en dit long sur l'inquiétude générale et sur la hâte de voir repartir l'intrus au plus vite.

Quelques kilomètres plus loin, la route s'élève encore. La forêt tropicale devient moins dense, cédant le pas à de grands chênes, à des lauriers, puis, à l'approche du col, à une véritable steppe de montagne ; encore un virage, et le paysage bascule sur la vision d'un immense lac volcanique, d'un bleu violent, littéralement enchâssé entre des montagnes escarpées : le lac Toba, domaine réservé des tribus tobas bataks. Les versants les moins abrupts des vallées débouchant sur le lac sont finement ciselés de petites rizières en terrasses. Au plus large de la vallée, juste au bord du lac, le village prend logiquement sa place. Si les rizières en terrasses sont l'aspect positif et le témoin vivant de ce constant travail de l'homme pour préserver la nature et l'adapter à ses besoins, l'aspect négatif est stigmatisé, en d'autres endroits du rivage, par les trouées béantes faites par le feu pour détruire la forêt originelle et pratiquer un système d'agriculture itinérante *(ladang)*.

Signe d'un laisser-aller inhabituel dans l'harmonie entre l'homme et son environnement naturel, après l'abandon du *ladang* devenu stérile, les espèces les plus vivaces (bambous, fougères, épineux, buissons), sans grande valeur économique, repeuplent l'espace laissé libre, empêchant pratiquement toute réimplantation d'arbres nobles ou précieux, à croissance plus lente.

Le Batak, entre Dieu et Diable...

AU CENTRE DU LAC TOBA, à quelques kilomètres de Prapat, la capitale du pays batak, s'étend l'île de Samosir, site privilégié des plus beaux villages de la région. Parmi ceux-ci, Ambarita a su conserver vivace une tradition qui, nous le verrons, s'estompe avec le temps. Le village *(huta)* se caractérise par un épais rempart de 2 m de haut et de... 3 m de large, signe évident des guerres incessantes entre roitelets de l'île et villages avoisinants. Ces guerres apportaient leur lot de prisonniers et d'esclaves, mais des esclaves bien traités et destinés aux travaux des champs. Les descendants de ces esclaves vivent aujourd'hui hors du rempart, dans de modestes cabanes, et se louent à la journée... pour les travaux des champs.

Aux quatre coins du village, enserré dans le mur, un arbre sacré, qui n'est autre que le banian. Il symbolise l'homme (le tronc) tendant vers les dieux (le feuillage) et attaché aux enfers (les racines). Où donc les Bataks seraient-ils allés chercher ce symbole et cet arbre sinon dans le brahmanisme et l'hindouisme venus à eux quelques siècles avant notre ère ?

Par une porte unique qui forme dans la muraille un couloir étroit surmonté d'une énorme pierre, on accède à la place du village, où se trouvent sept ou huit maisons. À la différence de son cousin karo, le Toba se sent bien protégé. Tout au plus peut-on dire qu'il a résolu à sa manière ce même souci d'isolement d'une minorité ethnique.

Les maisons, bien ordonnées entre elles, s'articulent autour du *sopo*, la maison du chef, qui est naturellement la plus haute et la plus grande. Le *sopo* est aussi le lieu de réunion du village et la cour de justice. Le chef a un pouvoir considérable (il est un descendant de roi, du moins en principe), mais il ne décide qu'en fonction du droit coutumier *(adat)*, et la règle d'unanimité est de rigueur pour toute décision de portée municipale.

La maison révèle par son apparence bien des traits caractéristiques du mode de vie local. Elle est construite sur pilotis pour se protéger des inondations et des agressions de reptiles et d'animaux sauvages. Son

Les Minangkabaus pratiquent un islam très strict, mais vivent traditionnellement selon un régime matrilinéaire. En effet, l'hérédité du nom et des biens se fait par la femme, qui pratique en outre la polyandrie, réduisant l'homme au rôle de géniteur, de travailleur et de mendiant dans son propre foyer... où il n'habite même pas ! L'absence de partage des terres et l'esprit commerçant des Minangkabaus ont rapidement apporté richesse et prospérité dans les familles de la région : la beauté du costume traditionnel, l'importance et la finesse des sculptures décoratives et votives de la maison témoignent de l'aisance de nombreuses familles.

La femme minangkabau. Une merveilleuse légende est à l'origine de la coiffe traditionnelle. Le peuple minang était en conflit avec une tribu voisine. Plutôt que de s'affronter en une guerre sanglante, les deux chefs décidèrent de remettre leur sort entre les mains de champions. Mais les voisins choisirent un buffle énorme. Alors les Minangs, surpris mais rusés, choisirent un tout jeune buffle aux cornes acérées. Au premier assaut, le jeune buffle se précipita sous le ventre de la bête qu'il croyait être sa mère et éventra son adversaire. Depuis cette époque, les femmes portent cette coiffe qui symbolise minangkabaus, la victoire du buffle.

toit à deux pentes, fait de bambous tressés recouverts de chaume de riz et de feuilles de palmier séché, dégage largement deux hauts frontons magnifiquement ornementés. Le fronton principal abrite, sous sa forte pente, le balcon réservé au propriétaire : on aime le luxe en pays batak ; on aime à se montrer, à montrer sa richesse.

Mais ce luxe n'est pas gratuit : richement décoré de sculptures votives et de visages de dieux effrayants, le balcon, comme le pourtour de la maison, est peint aux couleurs religieuses traditionnelles : le brun et le rouge pour les dieux bienfaisants, le blanc pour les forces visibles et les événements naturels, le noir pour les esprits de la terre.

Mais où diable les Bataks sont-ils allés chercher ces couleurs et cette cosmogonie simple, si ce n'est dans la tradition animiste immémoriale de tribus vivant dans un environnement hostile fait de catastrophes naturelles, que l'on craint, que l'on admire, que l'on adore, que l'on transforme en culte ?

Un petit escalier pentu se faufile entre les pilotis, sous le plancher de la maison, et ouvre par une lourde

trappe sur une pièce unique. Surprise : pas une seule cloison, et pourtant quatre à six familles vivent à l'intérieur. Il fait sombre, presque noir. Une fumée âcre envahit toute la pièce ; on ne connaît pas la cheminée en pays batak. Une vingtaine de personnes sont réunies autour de l'âtre unique, où cuit le repas : des galettes de riz, quelques morceaux de porc qui rôtissent dans une friture mille fois utilisée, des légumes qui bouillent tranquillement sur le côté du foyer, et la sempiternelle platée de riz, qui tient la place centrale au-dessus du feu. Le menu est très varié, comme est délicieuse la boisson, vin de palme fermenté dans un gros bambou, sorte de bière acidulée et blanchâtre qui, si l'on en abuse, laisse un petit goût dans la bouche et de mauvais souvenirs.

... *l'esprit de clan et le clivage des castes*

LA PRÉSENCE de la quasi-totalité du clan familial dans une seule maison s'explique par la nécessité de garder la terre en commun, pour mieux la cultiver et pour éviter le difficile problème de la partition au moment de l'héritage. Si la maison devient trop petite, une autre doit être bâtie par la famille, mais, de toute façon, une fille restera, sa vie durant, dans la maison

Phot. Langiaux-Fotogram

Phot. C. Lenars

Travail aux champs en pays batak. L'habitat traditionnel toba batak sert de toile de fond au paysage. Les bananiers sont plantés à proximité de la maison, procurant une partie de la nourriture, mais aussi les matériaux nécessaires à l'entretien périodique des murs et du toit. Quelques mètres plus loin, commence la jungle presque impénétrable, qu'il faudra défricher ou brûler un jour pour augmenter la surface arable. C'est la période de la récolte : les gerbes de riz ne sont guère serrées, signe évident d'un épuisement progressif de la terre ; il faudra bientôt abandonner la parcelle, le temps de laisser la terre se reconstituer.

L'habitat karo batak. Les toits à quatre pentes sont ceux du village royal de Pematang Purba. Reconstruit dans les matériaux classiques de la région, le village est conservé comme un musée vivant de la tradition batak. En effet, deux familles, héritières lointaines du roi de Purba, vivent toujours dans le village et utilisent encore aujourd'hui les outils et les objets usuels de leurs ancêtres, perpétuant l'artisanat du tissage et de la vannerie, et l'usage du chaume sur les toits, dans une région qui a un peu trop vite oublié ses racines profondes.

La différence de raffinement dans les détails de sculptures votives et décoratives de la maison est frappante par rapport au pays minangkabau, signe inquiétant du laisser-aller moral de toute une région de Sumatra.

familiale, aidant ses parents, servant son mari, assurant la pérennité du culte des ancêtres et évitant, par sa présence, toute contestation entre les héritiers à la mort de ses parents. Le culte des ancêtres : voilà encore une pratique directement tirée de l'animisme, mais avec une forte coloration chinoise dans le rituel.

Le clan lui-même est extrêmement structuré, dans le village et en son sein. Le village se divise en trois groupes : le clan des fondateurs du *huta,* le clan des hommes ayant épousé une femme fondatrice ou descendante de fondateur, et le clan des femmes de fondateurs. À ces trois groupes s'ajoute celui des descendants de prisonniers ou d'esclaves, qui ne constitue pas un véritable clan.

La tribu batak a retrouvé avec le temps le clivage originel des castes du brahmanisme, avec ses parias, ses ouvriers (wesias), ses guerriers (satryas) et ses chefs (brahmanes).

Une petite pièce semblable à une loggia, calée dans la membrure de la construction et le balcon, est l'apanage du propriétaire, vieil homme sans âge qui s'y tient sans dire un mot, observant les allées et venues dans la pièce commune. C'est le chef du village, mais aussi le sage, le détenteur du calendrier batak. L'année batak se décompose en 12 mois de 29 ou 30 jours, soit 355 jours. Tous les trois ans, un mois de 30 jours réduit le décalage à un quart de jour par rapport à notre calendrier.

Mais cette éphéméride ne sert pas seulement à faire vieillir les Bataks ou à mieux fixer leurs rendez-vous. Il est très proche du calendrier lunaire et fait donc apparaître, tous les trois ans, la célèbre année à treize lunes, traditionnellement néfaste. De plus, le calendrier possède une valeur astrologique dans la prévision de cataclysmes. Ainsi, chaque fois qu'un malheur survient,

les sages en notent scrupuleusement la date. Au fil des siècles, cette méthode comparative s'avère efficace et précise. Les Bataks savent prendre les devants pour éviter le pire : ils sacrifient un buffle aux dieux bienfaisants. Pauvres buffles ! Ils sont vraiment ceux qui paient le plus lourd tribut. Non seulement ils restent le moyen le plus économique pour cultiver la terre et transporter les hommes ou les marchandises, mais encore ils sont systématiquement les tristes vedettes de chaque grande cérémonie. Dans tout le pays batak, les cornes de buffle ornent le fronton des maisons. Elles symbolisent la puissance de l'occupant, sa détermination à surmonter l'adversité, mais aussi sa richesse et son pouvoir. Le nombre de paires de cornes superposées au fronton d'une maison correspond au nombre de générations ayant régné sur le village.

À mesure que la soirée s'écoule, la crainte due à la présence du visiteur s'estompe. Les attitudes sont plus naturelles. Le rire remplace le sourire, et l'on se laisse aller à quelques confidences sur la vie en famille.

On aime bien vivre en pays batak. Dès l'âge de 12 ou 13 ans, les garçons sont gentiment chassés du foyer familial et vont chercher refuge dans le *sopo* jusqu'à ce qu'ils prennent une épouse. La légende veut que les veuves et les grand-mères jouent les entremetteuses, donnant un petit coup de pouce au hasard et dirigeant même les ébats amoureux de leurs ouailles, de manière à parfaire leur éducation. À voir l'œil malicieux des vieilles dames indignes, il doit y avoir beaucoup de vrai dans ces légendes... Et l'on parle du mariage comme d'une occasion de faire la plus belle fête. Le village est convié aux épousailles, mais aussi les villages voisins et les amis éloignés. Chacun sort pour l'occasion la plus belle ceinture, les plus beaux corsages, les plus récents sarongs, les cravates les plus criardes. Chaque famille arrive en procession, apportant sur la tête de nombreux présents : sucreries, objets usuels, cigarettes, riz, tissus précieux. Seul, le père du marié est à l'ouvrage. Il tient une comptabilité précise des cadeaux apportés par chaque famille. On n'est pas avare chez les Bataks, mais, à la prochaine fête dans l'une des familles invitées, il faudra offrir en retour au moins l'équivalent de ce qui est offert aujourd'hui. Et l'on tue le cochon, ou plutôt les cochons, pour nourrir les centaines d'amis venus partager la joie des jeunes mariés. Même le pasteur protestant est de la fête et donnera sa bénédiction.

Phot. C. Lénars

Jeune garçon batak en costume traditionnel. Le village d'Ambarita, sur l'île de Samosir, est le seul de la région du lac Toba à avoir conservé l'ensemble des signes extérieurs de la civilisation batak grâce à la vocation touristique évidente du village.

Intérieur d'une maison batak. Le foyer commun à toutes les familles du clan est entretenu régulièrement. On distingue, à l'arrière-plan, le demi-étage réservé au propriétaire ou au patriarche de la maison. Par la petite fenêtre ouverte, on distingue à peine la maison voisine. En fait, cette minuscule ouverture laisse tout juste filtrer la lumière du jour et sert, essentiellement, à l'aération de l'intérieur. Bien que les Bataks connaissent l'usage de la cheminée, ils n'en construisent jamais pour garder la maison totalement close et empêcher ainsi les esprits malins de s'y infiltrer la nuit venue.

Le marché du village brille par la profusion et par la diversité des produits présentés. Pour le voyageur, un marché est l'occasion unique d'approcher un peu plus la réalité quotidienne d'une région et de vivre quelques instants au rythme du pays : savoir attendre, s'asseoir, se faire discret, pour observer les mille petits spectacles qui se déroulent ici est un plaisir sans mélange.

L'amalgame des religions venues d'Occident

AU CŒUR de la plus grande nation islamisée du monde, une poignée de tribus vivent officiellement dans la chrétienté. Pourquoi les Bataks sont-ils devenus chrétiens ?

L'islām, qui envahit Sumatra dès le XIVᵉ siècle, ne pouvait leur convenir : les humoristes locaux vous disent que le Coran interdit la consommation du porc, or les Bataks rétorquent que cette viande est délicieuse et que la fortune s'évalue... à la dimension de la porcherie ! En fait, les chefs de village qui avaient chassé les Bataks de la côte se sont rapidement convertis à l'islām pour mieux assurer leur emprise et commercer avec les marchands musulmans. Les Bataks ne pouvaient accepter une telle humiliation.

Protestantisme et catholicisme sont donc arrivés tardivement. Les missionnaires durent vite déchanter devant l'incapacité des Bataks à abandonner leur culte traditionnel, leurs sages, les sculptures votives sur leurs maisons, leurs amulettes dans les rizières, leur calendrier, leurs sacrifices de buffles, leurs danses d'incantation, voire des manifestations catholiques dans un office protestant. Le peuple batak pratique une religion dont lui seul a le secret. Les missionnaires acceptent donc les sculptures ornées de têtes terrifiantes, mais décorées d'une croix, les bénédictions de buffles avant le sacrifice ; ils célèbrent religieusement les mariages dans un décor et un contexte païens, essayant de « faire tenir » toutes les coutumes dans l'enseignement du Christ. Gageons que cela ne doit pas être facile !

Tout irait pour le mieux dans le meilleur des mondes bataks sans l'infiltration relativement récente, par le tourisme, du dollar-roi.

Il n'a pas fallu vingt ans pour détruire le fragile équilibre d'une population ballottée entre suzerains brahmanistes, envahisseurs musulmans, colonisateurs hollandais et portugais, marchands chinois, vendeurs de transistors et de Toyota. Sur les toits, la tôle ondulée a remplacé le chaume, les portes sculptées, les frontons, les balcons, les armes anciennes, les tissages originaux ont disparu dans les bagages des chasseurs d'antiquités. Les meubles, les piliers des maisons, les masques, les coiffures, les calendriers anciens ont été mis à l'étalage des échoppes de Prapat et les Bataks ont troqué leur patrimoine contre des tissus synthétiques, des tubes chromés, des tables en Formica.

Même la religion, même la tradition n'ont pu freiner ce gâchis. Et, lorsqu'il n'est plus rien resté, le peuple batak a commencé à réfléchir... et à regretter.

Comment retrouver la paix dans un village envahi par les touristes ? Et que leur montrer lorsqu'on a tout vendu ?

Comment refaire ce que l'on ne sait plus fabriquer, puisque seuls les vieux avaient le tour de main pour créer de beaux objets ?

Aujourd'hui, les Tobas Bataks sont au carrefour le plus délicat de leur longue histoire. Seront-ils totalement absorbés par l'industrie du tourisme, séduits par les multiples gadgets venus d'Occident, ou retrouveront-ils par un repli en eux-mêmes avec leurs traditions une identité dont ils étaient près d'oublier jusqu'au souvenir ?

La route transsumatranaise se faufile dans une végétation inextricable. À chaque virage, le paysage se transforme et réserve souvent bien des surprises, telle cette charrette à buffle qui constitue un danger permanent pour le conducteur et accentue un peu plus l'énorme décalage entre la vie ancestrale et une recherche désordonnée de modernisme.

Phot. C. Lénars

Bali, le jardin des immortels

PRIS SOUS LE CHARME, le premier équipage occidental qui aborda Bali, au XVIe siècle, refusa de rentrer au pays. De même, les colons-artistes des années 30 firent une telle réputation à cette île, pas plus grande qu'un département français, qu'elle continue à faire parler d'elle comme s'il s'agissait d'un vaste continent. Pourtant, meurtriers sont les courants qui traversent la barrière de corail. Tous les cinq ans environ, l'île subit une secousse destructrice... Quant à ses deux plus jeunes volcans, le Gunung Agung, siège du panthéon, et le Gunung Batur, au charme romantique digne des Alpes suisses, ils explosèrent le premier en 1963, le second en 1917 et en 1926, crachant une nuée de cendres à 250 km à la ronde. Serait-ce pour contempler les Balinaises aux seins nus que tout voyageur braverait ces dangers ? Certes pas, car, depuis une quarantaine d'années, sur les conseils des fonctionnaires musulmans de la république d'Indonésie, le drapé des étoffes monte jusqu'aux épaules, et, seules, les grand-mères préfèrent le bien-être à la pudeur. Alors ?

Inébranlable demeure la réputation de l'« île du paradis », appelée aussi « jardin des immortels », comme le demeure aussi le respect de ses habitants pour les mille visages de la vie.

Dernier bastion de l'univers malais

COUSINE DE JAVA-EST dont elle se détache par un bras de mer peu profond et large de 3 km, Bali est le dernier bastion de l'univers malais. À quelques degrés plus à l'est, les innombrables formes de la vie tropicale cèdent la place au monde australien.

L'île est l'une des terres indonésiennes les plus occupées, avec quelque 2,7 millions d'habitants, résidant surtout dans le Sud-Est. Dans l'Ouest, couvert de forêts et de collines broussailleuses, l'homme rencontre, parmi de nombreux et réels dangers, plus de serpents, de crocodiles et de cochons sauvages que de gouttes d'eau potable.

Une chaîne volcanique, formée du Batukau, du Batur et du Gunung Agung, s'étend d'ouest en est. Pins, cyprès et fougères arborescentes profitent de la fraîcheur des forêts hautes.

Dans le Nord, sur les flancs montagneux qui descendent abruptement vers la mer, une population rare mais industrieuse cultive sur *tegalan*, « champs secs », le maïs, les arachides, le café et le clou de girofle.

Grande cérémonie de purification au temple Besakih. À certaines dates importantes, toute la population de Bali participe à la préparation des fêtes religieuses de ce temple, dont les nombreuses cours s'étagent au flanc du volcan Gunung Agung. En ces occasions, des autels provisoires, en bambou, sont érigés, car les édifices de pierre ne suffisent plus à accueillir toutes les divinités du panthéon balinais. Les officiants, vêtus de blanc, ont orné les monuments rituels de tissus aux couleurs des dieux principaux : blanc pour Śiva, rouge pour Brahmā, jaune pour Mahadewa, noir pour Visnu...

Les versants sud, tendres et fertiles, s'étalent en pente douce vers la plaine côtière, à l'est, jusqu'aux plages de sable noir de Kusamba, et, au sud, jusqu'à la presqu'île rocailleuse et blanche de Bukit. Ces vallées, au fond desquelles s'encaissent les rivières d'origine volcanique, sont aménagées en *sawah*, « rizières irriguées ». Leurs diguettes suivent les moindres courbes de niveau, interrompues par des cocoteraies et des bouquets de palmiers à sucre.

De tels paysages sont si bien façonnés qu'ils paraîtraient naturels si l'on ne distinguait les villages et les temples à travers leurs vergers tropicaux.

Le climat varie selon le lieu, l'altitude et l'heure, mais la chaleur humide se poursuit tout au long de l'année, ponctuée de pluies brèves et violentes d'octobre à mai, en l'absence de l'alizé austral. Le soleil, aveuglant près des côtes, passe par un filtre de vapeur à l'intérieur des terres. La nuit tombe tôt et vite, accompagnée de son peuple d'insectes qui descend profiter de la tiédeur du sol.

Depuis l'homme de Java, ancêtre cinq cents fois millénaire, des vagues successives de population se sont repoussées du continent asiatique à l'Australie, aboutissant aux différents types du peuple balinais actuel : grands ou petits, teint beige ou marron, cheveux raides comme les Malais de Singapour ou frisés comme les habitants de Nouvelle-Guinée.

Paradis des volcans et enfer de la mer

AGRICULTEURS, les Balinais sont tournés vers les hautes terres et non vers la côte, sur laquelle aucun port important n'a été aménagé. Si la communication avec Java est aisée par Gilimanuk, le détroit qui sépare Bali de Lombok est réputé pour ses caprices. La petite île de Nusa Penida, au sud-est, est pour beaucoup une terre d'exil. Seule, la minuscule Serangan, où sont capturées les tortues de mer, attire régulièrement la foule vers son temple. Mais on y accède presque à pied, après avoir traversé 2 km d'eau saumâtre, peuplée de crabes boxeurs et de poissons mi-aquatiques, mi-terrestres qui s'ébattent sous les palétuviers.

Les Balinais prennent au moins deux bains par jour, dans n'importe quelle eau douce, source ou caniveau, mais très peu savent nager. Quelques enfants osent jouer au bord de l'océan dans les vagues les plus proches. La barrière de corail, aux récifs frangeants, ceinture l'île à environ 200 m du bord, délimitant un lagon peu profond, préservé des grands prédateurs. Dans cet aquarium bariolé prolifèrent les poissons (papillon, ange, clown, perroquet, picasso...). Mais seuls les plus malchanceux, à marée basse, sont ramassés au filet, pendant que les femmes cueillent les blocs de corail mort utilisés comme matériaux de construction dans les villages côtiers ou transformés en chaux, indispensable à la traditionnelle chique de bétel.

Phot. J. Bottin

L'embarcation traditionnelle, le prahu, *cette pirogue à balancier, peut contenir cinq personnes et des quantités surprenantes de marchandises. Malgré la méfiance des Balinais vis-à-vis de l'océan, les* prahu, *avec leur voile multicolore triangulaire, s'aventurent, par temps calme, bien au-delà de la barrière de corail. Pour ramener son esquif, le pêcheur peut, comme ici, se passer de la voile et utiliser les courants qui sillonnent le lagon peu profond.*

La population de Kusamba raffine le sel dans les chaumières que l'on aperçoit derrière le prahu halé sur la plage. Le sable noir, d'origine volcanique, saturé de sel, est tiré de la mer et mis à sécher au soleil. Une fois sec, ce sable est placé dans un égouttoir à l'intérieur des chaumières. Après arrosage, une eau d'une forte teneur en sel est recueillie dans des récipients en bambou, qui seront placés à l'extérieur jusqu'à la complète évaporation de l'eau et l'apparition des cristaux. Une seule journée peut suffire pour obtenir le sel gris, très iodé, que l'on retrouvera sur les marchés de Bali.

Les quelques *prahu*, minces barques à balancier, s'aventurent rarement loin des côtes. Le fruit de leur pêche n'atteint le centre de l'île que sous forme de saumure, qui sera utilisée en petite quantité dans la cuisine.

Les événements ont donné raison au peuple de Bali dans sa méfiance de l'océan, d'où ont surgi les administrateurs de Java dès le XIᵉ siècle, les Hollandais depuis le XVIᵉ siècle et les Japonais pendant la Seconde Guerre mondiale. La preuve la plus tangible, en 1908, fut la célèbre affaire de ce navire échoué qui servit de prétexte aux Hollandais pour contester le droit ancestral des insulaires à disposer des épaves. Cette querelle diplomatique aboutit au suicide des rājas et de leur cour, impuissants devant les canons de la flotte batave.

Les Balinais prétendent aujourd'hui que toutes les épidémies sont venues de la mer, puissance étrangère et inférieure qui apporte la mort.

À l'inverse, rien de nuisible ne peut venir des volcans. Tout Bali monte au bord de la caldeira du Batur pour honorer Dewi Danu, la déesse du lac, qui déverse ses bienfaits dans les rizières. Les bonnes terres sont issues du volcan, de même que les eaux qui les fertilisent et le feu qui fait cuire leurs fruits.

Le plus élevé des volcans, le Gunung Agung, surnommé Pusering Jagat, « nombril du monde », détruisit des dizaines de milliers d'hectares de rizières en 1963. Sa colère fut interprétée comme la réponse légitime à une offense.

Les Balinais vivent en accord avec leur interprétation du cosmos, présent jusque dans la plus humble des tâches quotidiennes. Le cosmos, c'est d'abord *bumi*, signifiant le village ou l'île tout entière, « territoire » où se jouent la vie et la mort. Dans ce chaos, les sages ont fixé des points de repère : le Gunung Agung, qui est un paradis, et l'océan, qui représente un enfer. Le soleil levant et la lune croissante sont bénéfiques ; le soleil couchant et la lune décroissante, maléfiques. Aux notions d'est, ouest, nord, sud et à leurs intermédiaires s'ajoutent celles de haut et de bas, de *kaja*, vers le Gunung Agung, et de *kelod*, vers la mer.

L'axe kaja-kelod se déplace sur un rayon dont le volcan est le centre. Architecture, médecine, rites élaborés ou simples, les moindres gestes de la vie de tous les jours ne cessent de se référer à ces pôles.

La partie la plus sacrée d'une maison, d'un temple, d'un être humain est toujours la plus élevée et la plus proche du Gunung Agung, alors qu'un cimetière est invariablement situé en aval.

Personne ne peut dormir s'il n'a la tête dans la direction kaja, ni manger s'il ne fait face au levant. L'ordre avec lequel l'agriculteur repique ses pousses de riz est encore fonction de ces points cardinaux. Les organes eux-mêmes sont orientés dans le corps humain. Celui qui demande son chemin peut entendre pour réponse : « Vers l'est, puis kaja et ensuite kelod... ».

Chacun est censé savoir où il en est dans son île, dans son village et dans son corps.

Les demeures des hommes

À BALI, les innombrables exceptions ne sont dues ni à la fantaisie ni au hasard, mais relèvent d'un code rituel différencié à l'extrême.

En revanche, les demeures des hommes — et des dieux — sont agencées selon des règles immuables.

La maison balinaise est une vaste cour en terre battue entourée de murs en torchis qui la protègent des ennemis, des regards malveillants et des mauvais génies, incapables de franchir un obstacle.

L'entrée, rudimentaire ou monumentale, est rarement munie d'une porte. Tout le monde se connaît,

Peu de Balinais pratiquent la pêche en mer. Pourtant, les belles prises ne sont pas rares, mais la chaleur du climat des côtes est un handicap sérieux pour la conservation du poisson ; aussi n'y a-t-il pas de poisson frais sur les marchés de l'intérieur. Hormis la tortue, qui peut se capturer et se conserver vivante, la faune marine entre peu dans la cuisine rituelle, qui suppose le sacrifice et le partage de la chair à une date impérative, impossible à respecter du fait des hasards de la pêche. Ces deux hommes portent une liche de cent kilos, à l'aide d'un bâton appuyé sur l'épaule. Deux femmes l'auraient portée dans un long panier en équilibre sur la tête.

et toute intrusion étrangère est signalée par les aboiements des chiens faméliques.

À l'intérieur, la campagne continue. Le potager longe les murs, ainsi que le verger : arbres jaquiers, orangers géants, bananiers...

Une aire, orientée vers le Gunung Agung, est réservée au temple domestique. Quelques niches surélevées, recouvertes d'un toit épais de fibre noire de palmier duk, servent de réceptacles aux divinités protectrices de la famille.

De l'autre côté de la cour, une murette délimite la porcherie. La cabane enfumée qui fait office de cuisine se situe au sud, en direction du feu, attribut de Brahmā. Les poussins sautillent entre les marmites noires, près du grenier à riz sur pilotis, dont la couverture évoque une meule de foin géante.

Au centre, parmi les bouquets d'hibiscus, s'élèvent les *balé*, préaux ou pagodes sans étages. Le plus vaste est destiné aux réunions de famille, au sens large du terme, et à l'accueil des invités.

Parents, grands-parents et enfants se répartissent sous les autres. Chaque édifice est constitué d'un socle en ciment qui s'élève par deux ou trois degrés au-dessus du sol. De cette assise partent les colonnes de bois qui soutiennent la charpente, un faisceau de bambous recouvert d'herbe lalang tressée.

L'enceinte exceptée, les murs sont rares et peu utiles. Fermant parfois l'angle d'un préau pour préserver un peu d'intimité, ils ne touchent pas le toit et ne portent donc rien.

La confection de l'épaisse toiture nécessitant des centaines d'heures de main-d'œuvre, les pavillons en dur, couverts de tuiles, commencent à remplacer la pagode traditionnelle. Inadaptés aux secousses sismiques, ils contrarient aussi l'habitude des Balinais qui consiste à rester à portée de regard et de voix les uns des autres. La demeure originale, encore majoritaire, bannit les étages, les cloisonnements et tout obstacle impur entre l'homme et le ciel. Ses proportions se calculent à partir des nombres d'or des livres sacrés et en fonction des mesures humaines : écartement des doigts de la main, longueur du pied, distance des pieds à la tête...

Les meubles sont importés ou fabriqués pour le seul confort de l'Occidental. Les chaises, considérées ici comme des prothèses pour « handicapés des jambes », sont aussi incommodes que les tables, comparées aux surfaces lisses offertes par le socle d'un balé.

À tous égards, le temple Besakih est le sanctuaire le plus important de Bali. Les grandes terrasses sacrificielles sont antérieures au XIe siècle et précèdent donc l'arrivée à Bali des cours javanaises hindouisées. Sans doute y sacrifiait-on aux ancêtres, et plus spécialement aux divinités solaires du volcan Gunung Agung. Les dynasties des rois de Bali en firent un temple d'État, où les souverains de toutes les régions venaient vénérer leurs ancêtres communs.

Quatre piliers tiennent le lit, natte rigide fixée à 1 m du sol. Les ustensiles de cuisine sont nombreux, mais la vaisselle inexistante. La feuille de bananier, qui, une fois jetée, enrichit l'humus, remplace l'assiette. La main droite, sensible à la chaleur et à la consistance des aliments, est d'un usage moins barbare que cuillère et fourchette.

Assis sur une natte de pandanus tressé ou à même le sol de leur préau, les Balinais passent leurs moments de loisir en causeries et bricolages.

Vivre avec les dieux

LE TEMPS CONSACRÉ aux ancêtres est au moins égal à celui du travail. Les cérémonies étant des *karya*, « travaux », au même titre que d'autres, les Balinais vivent dans leurs temples avec naturel. Chacun est affilié à plusieurs lieux sacrés, c'est pourquoi aucun des milliers de sanctuaires n'est un musée ou une ruine.

À l'image d'une vaste et somptueuse maison commune, deux ou trois enceintes protègent les édifices sacrés. Après la traversée initiatique de la haute pyramide fendue, *candi bentar*, on entre dans la pre-mière cour, dite « extérieure ». Un préau abrite la cuisine rituelle, un autre le *gong*, ensemble de métallophones de bronze qui vibreront lors des nuits et des jours de fête. En l'absence de cour « intermédiaire », la seconde, « intérieure », est entièrement consacrée aux divinités. Passant à travers une deuxième porte monumentale en pierre sculptée, le fidèle abandonne les restes d'impureté qui auraient pu résister à la traversée de la première. Précaution supplémentaire, le pan de mur *aling aling* doit être contourné avant qu'on ne pénètre dans l'enceinte consacrée. Les démons *bhuta*, « aveugles », en sont incapables.

Des pagodes surélevées accueillent les grands prêtres et permettent d'exposer les nombreuses offrandes. Les dieux ne sont jamais représentés, mais ils sont invités à séjourner ici-bas sur les « sièges » qui leur sont dédiés. Les autels sont disposés le long du mur selon deux lignes perpendiculaires, dont l'angle pointe vers le

Le ficus géant, que les Indiens appellent **banian** et les Balinais *waringin*, surplombe maints lieux sacrés. Chaque *waringin* est lui-même un temple, dans lequel un officiant grimpe afin de déposer des offrandes sur l'autel qui y a été aménagé. La divinité qui l'habite, Banaspati Raja, s'incarne dans le théâtre sacré sous forme de *barong*, animal fabuleux. À noter : les enfants ne cessent d'escalader les gigantesques racines de cet arbre.

Lieu d'abandon des impuretés, la rivière (d'eau douce) est préférée en amont plutôt qu'en aval. L'eau peut être sacrée (tirta) ou ordinaire (yeh). Le rapport entre microbe et maladie est ignoré, au profit de celui qui existe entre l'inobservance de la coutume et la colère de Viṣnu, dieu des Eaux ; aussi, personne n'oublie de prendre au moins deux bains par jour.

Gunung Agung. Le *padmasana*, « siège en forme de lotus », trône en haut d'un monument de pierre, dont les sculptures mettent en scène le mythe cosmique de Bali. À la base, le serpent Antaboga se divise en deux et enserre la tortue géante Bedawang Nala. Sur son dos repose Bali, monde intermédiaire sur lequel s'amoncellent les univers supérieurs, culminant par le siège de Śiva. Les Balinais sont à ce point imprégnés du mythe que leur réaction, lors d'un séisme, consiste à faire le plus de bruit possible, dans l'espoir de réveiller les serpents qui ont relâché leur étreinte autour de la tortue...

Selon le temple, les autels subsidiaires sont réservés à tel ou tel dieu du panthéon indo-balinais. Certains font rarement défaut, tels le dieu solaire du Gunung Agung, Ngurah, gardien de la Terre, et Taksu, le « pouvoir » par lequel l'esprit divin pénètre le monde. Quelquefois, dominant tout le reste, se dressent les *meru*, « montagnes », pagodes vides dont les étages vont en se rétrécissant vers le ciel. Les toits de fibre noire, toujours en nombre impair, se comptent jusqu'à onze, quand le *méru* est habité par la divinité supérieure dans la hiérarchie du temple.

Le moindre village possède au moins trois sanctuaires. En amont, le *pura pusah*, « temple ombilic », honore les ancêtres et les dieux fondateurs ; au centre, le *pura desa*, « temple du village », fait communier la

Dans le temple, les femmes découpent des feuilles de bananier destinées à recevoir les offrandes ou les repas rituels. De leur main droite, elles épinglent les morceaux de feuille avec des fragments de fibre de bambou. Ce sont les femmes, surtout, qui s'adonnent à cet art religieux, d'une complexité infinie. Les plus âgées d'entre elles sont les meilleures tukan banten, faiseuses d'offrandes, et n'ont plus besoin des conseils des prêtres pour réaliser sans erreurs les travaux les plus minutieux, où rien n'est laissé au hasard. Ici, les cérémonies sont déjà commencées. Les femmes ont mis leurs plus beaux habits : un batik javanais autour de la taille et un chemisier aux couleurs vives. Elles portent leurs bijoux de famille en or martelé, et expriment leur dévotion à Iswara en ceignant un bandeau de coton blanc autour de la tête.

Ces tours d'offrandes, gebogan, sont préparées tous les 420 jours, à l'occasion de la grande cérémonie d'anniversaire de la fondation d'un temple, ici à Bedulu. L'ossature du gebogan est faite d'un tronc de bananier, dans lequel sont fichées des tiges de bambou. Différentes sortes de gâteaux de riz coloré viennent s'y fixer, ainsi que des fruits et des fleurs. Le sommet et la base de cette tour bariolée sont agrémentés de guirlandes de jeunes feuilles de cocotier. Chaque famille affiliée au temple confectionne au moins un gebogan. Les femmes, en procession, les portent en équilibre sur la tête. Les offrandes sont exposées pendant un jour dans l'enceinte sacrée, puis rapportées à la maison pour être consommées. Les divinités en ont déjà apprécié l'« essence », sans toucher la matière.

communauté avec ses dieux ; en aval, le *pura 'dalem,* «temple profond » proche du cimetière et du lieu de crémation, attire la bienveillance des divinités infernales.

Les liens puissants de l'« adat »...

LES DEMEURES et les temples s'étendent le long de deux chemins principaux qui se croisent en une large place, dominée par la silhouette géante de l'arbre sacré : le *waringin.* Rompant l'harmonie beige et grise des murs d'enceinte, le *balé bandjar,* préau de réunion, s'ouvre aux quatre vents au centre de chaque quartier. L'association *bandjar* regroupe les résidents du moindre hameau, afin de régler collectivement les affaires civiles et religieuses.

Ses chefs *klihan,* « adultes », sont élus à l'unanimité, pour une période de deux à cinq ans. Le *klihan tulis* fait office de greffier et se réfère à la constitution écrite du *bandjar.* L'assemblée se tient tous les trente-cinq jours, sauf extraordinaire, et discute des sujets les plus urgents : travaux d'entretien ; attribution d'une terre abandonnée, son propriétaire n'ayant pas de descendance ; répartition des tâches dans la *carik laba,* rizière réservée au temple du *bandjar ;* aide aux familles qui doivent assurer la crémation collective de leurs morts... Les membres du *bandjar* sont nécessairement mariés, car les travaux sont répartis spécifiquement entre hommes et femmes. Ces dernières ne sont pas chargées des tâches les moins pénibles : elles transporteront sur leur tête les briques et les pierres que les hommes utiliseront pour élever un édifice.

La tour *kulkul,* dont le nom imite le son rendu par les troncs d'arbres évidés qui la surmontent, sonne l'alarme au feu, au voleur, ou bien l'heure de la réunion

du *bandjar.* Celui qui ne répond pas à son appel sera redevable d'une *dosa,* dette envers la caisse commune.

Les différents *bandjar* se rassemblent en une unité administrative plus importante, le *desa,* « village », sous l'autorité de son maire. Quand leur compétence est dépassée, les maires font appel au chef de district, élu par le D. P. R., assemblée du gouvernement de Bali. Cette chambre, composée de huit préfets de région, est nommée, ainsi que le gouverneur de Bali et ses ministres, par le M. P. R., sénat de la république d'Indonésie, qui siège à Jakarta.

Héritiers de l'*adat,* loi coutumière ancestrale qui comprend l'ensemble des services civiques et religieux, les Balinais continuent à mener une existence relativement autonome. Même ceux qui habitent Denpasar, la capitale, ou qui exercent des professions adaptées au « monde du développement », ne sont sortis de leur village qu'en apparence. Ils entretiennent avec leur famille, leur temple et leur rizière des relations fréquentes qui, pour être sentimentales, n'en sont pas moins faites d'obligations concrètes.

Au temple de Sakenan, les fidèles mettent la dernière main à une offrande. Les offrandes, supports de la méditation, sont en général à l'image du cosmos. La base en est lourde et le sommet léger. Au-dessus de la couronne de jeunes feuilles de cocotier tressées culminent les éléments les plus aériens : roues astrales et oiseau.

Phot. Latude-Gamma

Phot. C. Lénars

La civilisation traditionnelle implique de grandes dépenses de temps, d'énergie et de biens à l'occasion des rituels auxquels personne n'échappe, au désespoir de ceux qui aimeraient voir naître les conditions du commerce et de l'industrie.

...*Et la communauté des rizières*

LES *SAWAH*, rizières irriguées, peuvent donner deux ou trois récoltes par an du meilleur riz d'Indonésie. Les principaux travaux incombent aux hommes. L'irrigation étant leur souci majeur, ils font partie d'une *subak*, comité qui se différencie du *desa* et du *bandjar*. Unité agricole et religieuse, la *subak* n'est pas une ferme collective, mais une association qui répartit entre les propriétés de chacun l'eau et les semences disponibles sur l'ensemble du territoire.

Domicile, caste, richesse, politique n'entrent pas en ligne de compte à la *subak*. La communauté entière est impliquée dans la distribution de l'eau, qui exige des travaux dépassant les forces d'un individu ou d'un petit groupe.

la rivière, la percée de nouveaux canaux souterrains — parfois dans la roche —, le désensablage d'une écluse, le nettoiement des artères principales ou annexes, victimes de l'effondrement d'une digue...

Les activités religieuses ne sont pas oubliées. Des autels s'élèvent auprès de chaque ouvrage d'eau important, et chaque *subak* possède son temple. Périodiquement, toutes les *subak* montent prier à leur temple mère, près du lac Batur. L'eau bénite rapportée sera utile aux rituels qui ponctuent la vie des rizières, à l'image de celle des hommes.

La première étape de la culture du riz consiste à sélectionner les graines. Les paysans se plaignent de ne plus obtenir le *beras bali*, « riz balinais », qui était courant il y a vingt ans. Aujourd'hui, il se vend très cher sur le marché, lorsque, d'aventure, on en trouve.

Rizière irriguée, ou sawah, dans la région de Tampaksiring. Les terrasses aménagées dans la vallée de la rivière Petanu sont bordées de fortes digues de terre qui retiennent l'eau, consolidées par les racines des herbes sauvages qui les envahissent. Ces herbes sont régulièrement taillées à la machette, afin qu'elles n'envahissent pas la rizière. La rupture d'un barrage supérieur entraînerait le déracinement de toutes les jeunes pousses en aval.

Phot. S. Held

Les propriétés étant souvent étagées au flanc d'une colline, il serait aisé pour un agriculteur d'inonder ou d'assécher son voisin du bas, s'ils n'étaient liés tous deux à la même *subak*. À l'intérieur d'une rizière, les parcelles autonomes permettent de cultiver le riz à différents stades de sa croissance et de moissonner toute l'année. Un tel procédé rend l'irrigation encore plus complexe, car les champs contigus doivent, à volonté, accueillir la quantité d'eau qui leur est nécessaire.

Les *kesit*, « unités d'eau » dont la *subak* dispose, sont réparties également entre tous ses membres. Le détournement d'eau à son profit est le délit suprême que peut commettre un agriculteur balinais.

La *subak* se réunit autour de son chef et de ses assistants. L'ordre du jour peut être la consolidation du barrage principal, qui ne supporte plus la poussée de

Après avoir germé, les jeunes pousses grandissent dans une pépinière entourée d'épouvantails, pendant que le champ est retourné à sec, puis humidifié, labouré grâce à un attelage de buffles d'eau, et piétiné jusqu'à ce que la boue soit homogène.

Cette pratique donne aux Balinais un pied dur et large, aux doigts écartés, bien campé sur le sol et confiant en lui-même, qui ne porte d'inutiles semelles de mousse que lors des grandes occasions.

À la date favorable, *dewasa becik,* les pousses sont séparées, lavées, taillées dans leur partie supérieure et laissées en repos une nuit.

Après la cérémonie consacrée à *Ibu Pertiwi,* « Mère Terre », et avec l'assentiment de la *subak,* le champ est vidé de l'eau superflue, et le repiquage commence. Les pousses sont plantées en ligne, espacées de la longueur

d'une main. Dès qu'elles ont pris racine, le niveau d'eau doit être remonté. À ce stade délicat, des soins incessants de nettoyage doivent être prodigués, pour empêcher les plants d'être étouffés par les algues.

Trois mois plus tard, les épis déjà hauts sont « prégnants », et reçoivent des offrandes semblables à celles que l'on accomplit pour une femme enceinte. Quand les épis sont presque mûrs, le champ est asséché définitivement, et tout est mis en œuvre pour éloigner les oiseaux et les rats. Les enfants passent leur temps à tirer sur les cordes ornées de sonnailles et de claquoirs qui surplombent la rizière de part en part. De petits drapeaux blancs et bleus claquent dans le vent, au sommet des cannes en bambou fichées dans la terre.

La récolte se fait avec l'aide du *sekaha manji,* « association de moisson » formée par les femmes. Sous

Cette jeune femme qui traverse une rizière porte un panier en rotin tressé, surmonté d'un tamis. Le riz est déjà haut, et on peut supposer que la récolte a commencé à l'autre bout du champ.

Le *lumbung,* **grenier à riz** que possède chaque demeure de quelque importance, est conçu pour préserver le grain de l'humidité, des insectes et des rongeurs. Les larges rondelles de bois fixées au sommet de chacun des quatre piliers empêchent les rats d'atteindre le grenier. On accède à la réserve par une petite porte de bois, parfois ouvragée, devant laquelle il n'est pas rare de trouver une statue de bois représentant une chouette ou un chat, épouvantail à rongeurs. L'ombre est fraîche sous le chaume épais, et les Balinais aiment s'asseoir sur la natte dure, faite de lames de bambou tressées, posées sur un plancher à mi-hauteur des piliers.

leur grand chapeau conique de rotin tressé, celles-ci avancent en ligne et « broutent » les épis, coupant de la main droite les gerbes qu'elles tiennent de la main gauche. La paille est laissée sur place pour être brûlée. Le riz sèche au village, sur des nattes posées au sol, à la joie des poules et des poussins. Les femmes se réunissent de nouveau pour marteler les épis, faisant rebondir un grand bambou sonore qu'elles projettent d'une main et rattrapent de l'autre, dans un balancement régulier des bras. Les enfants sont écartés lors de l'écossage du riz, dont la deuxième écorce, réduite en poudre, provoque des démangeaisons.

Les rites joyeux qui accompagnent cette période mettent en scène l'accouplement des éléments mâles et femelles, image de la fécondité de la rizière.

Une fois le riz engrangé, la désinvolture n'a plus cours. Monter à l'échelle qui mène au *lumbung*, « grenier sur pilotis », est un acte religieux, qui se déroule dans le respect, le silence, sans chiquer le bétel et jamais la nuit.

Le riz blanc n'est pas seul dans la *sawah*.

Les riz noir, jaune et rouge, plus glutineux, entrent dans la composition des nombreuses pâtisseries, agrémentés de sucre et de noix de coco râpée.

Si la rizière s'appauvrit, elle est mise quelque temps en culture sèche (maïs ou patate douce). La terre est ensuite bonifiée par l'enterrement de cendres et de matières végétales putrescibles.

La rizière irriguée est pleine de ressources. Les anguilles lindung creusent leurs terriers dans les murettes qui séparent les parcelles. On les attrape la nuit à l'aide d'une pince de bambou, à la lueur d'une lampe.

Le bassin rond qui est aménagé au centre de la *sawah* permet aux canards de s'ébattre sans saccager la plantation. Après assèchement, les alevins déposés en période d'irrigation sont récupérés sous forme de poissons dans cette cuvette centrale.

La main-d'œuvre, nombreuse et malicieuse, des enfants rapporte toujours de la *sawah* de quoi préparer les plats les plus succulents : les *kakul*, escargots d'eau vert foncé, dont on casse le sommet avant de les faire bouillir, pour qu'ils se détachent mieux de leur coquille ;

les libellules vertes, qui sont servies grillées, et diverses espèces de larves aquatiques, qui font une soupe au goût subtil de crustacé...

Du chant du coq...

AVANT L'AUBE, les coqs poussent leur chant de défi, se répondant à des kilomètres à la ronde. Les Balinais en possèdent plusieurs, qu'ils élèvent jalousement sous leur cloche de bambou tressé.

Après un déjeuner froid composé d'arachides pilées et de *tipat*, riz collant étuvé dans une feuille de palmier lontar, le père s'en va dans sa rizière, la bêche à trois dents sur l'épaule, la machette glissée dans la culotte. Sa femme prépare les repas de la journée, un demi-kilo de riz par personne, agrémenté d'un ragoût. Elle met à cuire dans le *santen*, lait de noix de coco, quelques morceaux de viande, de légumes et de fruits verts. Elle fait griller de fines tranches d'échalotes et des arachides qui saupoudreront les plats accompagnés de gros sel et de rondelles de piment cru. Elle fait chauffer l'eau de lavage du riz, y plonge les restes et va apporter le tout aux cochons, qui accourent à son appel : *Bankung ! ci ci ci ta ci ta kung !*

Les petites filles balaient les marches des pagodes à l'aide d'une brassée de fibres de bambou. Elles posent en équilibre sur leur tête un *pané*, jarre en terre, et vont chercher de l'eau au puits ou à la source proche.

Les garçons entretiennent la braise sous les marmites de fer avec les épluchures sèches de noix de coco qui s'amoncellent dans un coin de la cour, et s'amusent à faire reculer les chiens en frappant le sol de leurs pieds nus.

À peine éveillés, les grands-parents prennent une première chique de bétel ; ils se lèvent plus tôt encore que les autres.

La grand-mère dénoue ses longs cheveux encore noirs avec un peigne en ébène aux cinq dents écartées, réajuste le tissu qui serre ses jambes de la taille aux chevilles et va rejoindre sa belle-fille à la cuisine. Experte en offrandes, elle prélève des pincées de la

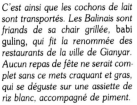

C'est ainsi que les cochons de lait sont transportés. Les Balinais sont friands de sa chair grillée, babi guling, qui fit la renommée des restaurants de la ville de Gianyar. Aucun repas de fête ne serait complet sans ce mets craquant et gras, qui se déguste sur une assiette de riz blanc, accompagné de piment.

nourriture du jour avant que personne n'y touche, les dépose sur de petits carrés découpés dans une feuille de bananier et les place aux endroits favoris des esprits infernaux : près de l'âtre, sur la margelle du puits, sur la marche la plus basse de chaque pavillon, devant l'entrée, sur la selle du vélo, si la famille en possède un ...

Selon le calendrier, il convient de satisfaire les esprits célestes par des offrandes d'une plus grande « valeur ». La grand-mère tresse alors des coupelles en jeunes feuilles de cocotier, y dépose une mini-chique de bétel ainsi que des fleurs rouges, jaunes et blanches aux couleurs de Brahmā, Makadewa et Iswara. Elle va orner le temple domestique, munie d'un bâton d'encens. D'un mouvement souple de la paume de la main droite, la vieille femme ventile la fumée odorante, faisant monter au ciel la *sari,* « essence » dont les dieux sont friands.

Le grand-père a décortiqué le tronc d'un palmier jaka, l'a débité, haché et donné aux canards. Traversant l'écran de la brume matinale, il part à travers champs, pilotant son troupeau grâce à la plume de coq

ont vécu bien pire à l'époque de l'occupation japonaise, quand il fallait se cacher pour égorger un poulet.

Le marché se tient chaque matin dans le village, et deux fois par semaine au chef-lieu de district. Les femmes montent alors dans un *bemo* de passage, navette contenant dix personnes mais en acceptant vingt ; elles s'y entassent avec animaux et paniers.

Lieu de prédilection des Balinaises, le marché rassemble toutes les couleurs et toutes les odeurs. On y trouve le fruit jambu, à la chair rose translucide, le salak, à la peau de reptile, le volumineux nangka, fruit de jaquier aux fibres jaunes et sucrées, le jeruk, agrume vert gros comme un ballon de football... Parmi les légumes, le bayem, sorte d'épinard, le ketela, patate douce, la papaye pas mûre, qui mijoteront avec la viande...

Les pains de sucre de palmier jaka attirent les mouches, et on se sent défaillir dans les effluves de la *petis udang,* saumure de crevettes.

C'est aussi un marché aux nouvelles, où l'on échange les cancans au même rythme que les pièces de monnaie

Phot. Mayer-Magnum

blanc qu'il agite au bout d'une canne.

Les enfants partent à l'école, chemise blanche immaculée, short ou jupe beiges ; ils reviendront en fin de matinée.

Les femmes se mettent en route vers le marché, un panier plein de bananes ou de papayes sur la tête. Parfois, elles mènent en laisse un cochon noir, au dos incurvé et à la panse traînante. Depuis que le gouvernement perçoit une taxe sur chaque cochon tué, afin de restreindre les hécatombes des jours de fête, elles n'hésitent pas à en vendre un de temps à autre. Elles

collantes. Les vendeuses roulent et enfilent les billets dans le lobe de leur oreille, à la place des cornets de feuilles d'or qu'elles portaient le jour de leur mariage.

Les plus pressées trouveront des offrandes toutes faites à l'étalage, ce qui leur permettra de rendre grâce au *pura melanting,* « temple du marché ».

Vers onze heures du matin, les femmes ou les enfants vont apporter un repas aux hommes qui se reposent au bord de la rizière, à l'ombre d'un abri.

À l'heure *tengga hai,* « milieu du jour », défavorable aux déplacements, tout le monde est à la maison.

Si les femmes préparent les repas quotidiens, la cuisine des jours de fête est le travail des hommes. Ici, le repas rituel est exposé avant d'être partagé. Sur chaque carré de feuille de bananier est déposé un monticule de riz, puis quatre sortes de hachis lawar, composées d'un très grand nombre d'ingrédients. Divers types de brochettes seront disposés à côté des lawar, destinés à chacun selon son rang dans la hiérarchie du village.

... à la tombée du jour

L'APRÈS-MIDI est en général consacrée à des tâches moins pénibles.

La mère râpe dans une bassine des noix de coco sèches, en les frottant sur un *kikian,* planche cloutée. Le grand-père est allé couper des bambous dans la forêt, et aide son fils à réparer une charpente. Une fillette, portant son petit frère sur la hanche, va rendre aux voisins un sac de café emprunté la veille. Les garçons fabriquent un gigantesque cerf-volant, dessinent ou écoutent un mélodrame donné à la R. R. I., Radio Bali, sur un poste à transistors à la voix éraillée.

La grand-mère file le coton à l'aide d'un vieux rouet. Avant la tombée du jour, le grand-père va chercher les canards à la rizière.

Assis sur le large dos de la bête, le petit-fils reconduit le buffle de louage chez son propriétaire. Les hommes et les femmes vont se baigner à la rivière en groupes séparés, hommes en amont et femmes en aval.

De retour, les femmes, sur le pas de la porte, font *mekutu,* se cherchent les poux. Le père libère un coq de sa cage, le caresse, le masse, lui nettoie le bec, le fait rebondir sur ses pattes, observe son œil et sa crête... Depuis le matin, les enfants en bas âge suivent leurs parents. Au bras du père, de la mère, ou sur les hanches de leurs frères et sœurs aînés, ils observent de leurs grands yeux sérieux, qui pleurent rarement.

Chacun va chercher à la cuisine un repas froid et dîne dans son coin. Manger est une nécessité à l'inverse du bain, peu propice à la conversation.

Pendant la digestion, les femmes se regroupent dans une proximité sensuelle mais innocente, la tête de l'une sur les genoux de l'autre. De leur côté, les hommes aiment le contact physique avec leurs enfants, leurs amis, et il n'est pas rare de les rencontrer se tenant par la main en signe de connivence.

Sanya kala, moment de la tombée du jour, surprend rarement les Balinais à l'extérieur de chez eux.

Les lampes s'allument au premier chant du lézard toké. La nuit est le domaine des penseurs, des artistes et des bavards. Après avoir enfilé un sarong et une chemise propres, ils se rendent chez l'un ou chez l'autre, sous le *balé bandjar,* ou à la table d'un *warung,* café-épicerie de plein air, où ils boivent le tuak, bière de palme, accompagné de quelques sucreries.

Les sculpteurs et les peintres achèvent le travail de la journée à la lumière des lampes à pétrole.

Un peuple d'aristocrates, de mécènes...

LE PEUPLE DE BALI fait montre d'un raffinement extrême dans ses rituels et ses activités artistiques. Le paysan le plus humble sait sculpter, danser, chanter en langue savante, discourir de théologie... Cette société liée à la rizière et au village s'élève à la perfection formelle, car elle ne cesse de vivre au présent son histoire mythique ou réelle.

Dès le XVe siècle, les communautés agricoles ont vu s'installer définitivement auprès d'elle les prêtres hindouistes, les *kajas,* et leur cour fuyant Java dévoré par l'islam. Les autochtones, tout en conservant leur autonomie, intégrèrent la religion et la culture hindo-javanaises. Les redevances perçues par les aristocrates étaient vite dépensées en cérémonies fastueuses, qui forçaient l'admiration des Balinais sans caste.

Les trois castes, *triwangsa* — prêtres, guerriers et propriétaires —, définies à l'âge védique dans le Code de Manu ne représentent que 10 p. 100 de la population. Elles ont perdu leur pouvoir politique et législatif au début du siècle, mais leur influence sur l'art de vivre balinais reste majeure.

De la caste des *brahmanes* sont issus les grands prêtres, dont aucune cérémonie importante ne saurait se passer. Les villageois offrent leurs services à ces personnes sacrées en échange des conseils qu'elles leur

Phot. Barbey-Magnum

Traditionnellement, l'os et l'ivoire sont employés pour la confection des manches des kriss, mais cet artiste de la région de Tampaksiring commence la sculpture d'une scène du Rāmāyana, qu'il achèvera en un an.

Des enfants misent quelques pièces dans un jeu de hasard. Le meneur cache sous une boîte de conserve 6 papiers pliés et numérotés. Les parieurs déposent leur mise sur une des 6 cases du tapis, avant le tirage.

donnent. Les prêtres ne travaillent pas, partagent leur temps entre l'étude et la prière. Afin de se préserver de l'impureté, ils ne portent jamais un vêtement déjà utilisé par un autre, prennent leur repas à part, évitent de passer sous un pont, de peur qu'un être souillé s'interpose entre eux et le ciel... Les descendants des familles royales composent la caste des *kṣatriya* ; la réforme agraire des années 60 leur a retiré leurs richesses terriennes, mais leur affinité avec la politique et l'armée amène nombre d'entre eux à occuper des postes dans le gouvernement de Bali. Éduqués et diplomates, ils transforment parfois une partie de leurs palais en lieu d'accueil pour étrangers.

En période de paix, les princes deviennent mécènes ou s'adonnent aux arts. C'est parmi eux que l'on compte aujourd'hui les connaisseurs et les artistes les plus accomplis. Toutes les disciplines, de la sculpture à la danse, se réfèrent dans le détail à l'épopée de leurs ancêtres divins.

Les *vaiśya*, nobles paysans, ont un statut hybride, entre les Balinais hors caste et les *kṣatriya*. Ils jouèrent surtout un rôle militaire, sans devenir propriétaires ou grands commerçants comme leur fonction le laissait supposer.

Chacune de ces trois castes jouit de privilèges. Les avantages en nature, souvent minimes, sont restés dans les mœurs, même s'ils ont perdu leur caractère d'obligation. En contrepartie, les nobles payent cher leur supériorité symbolique, car il faut se ruiner dans des cérémonies qui dépassent de beaucoup leurs moyens actuels.

Dans leur vie de tous les jours, les Balinais miment les manières de la Cour. Leur langue elle-même est faite de plusieurs langues différentes par la syntaxe et le vocabulaire : la langue rude, la langue moyenne et la langue douce.

La rude, *kasar*, est employée par la haute caste pour parler à la basse caste ; elle est sèche et violente. La moyenne, *madia*, langue de compromis ou d'attente, est utilisée entre deux personnes supposées à égalité. La douce, *alus*, polie et modulée, est parlée de basse caste à haute caste, ainsi qu'entre membres de hautes castes.

De nos jours, on s'adresse généralement en langue *alus* à toute personne âgée, sans distinction de rang. Même au sein d'une famille paysanne, une conversation entre un frère aîné et un cadet est marquée par cette hiérarchie dans le langage. L'utilisation du *kasar* tend à disparaître. D'autre part, l'*alus*, d'une humilité proche de l'adoration, convient mal à la vie moderne.

Les postures et les gestes font redondance avec la langue employée. Pour converser, on n'oublie jamais de s'asseoir au degré qui convient. En langue moyenne, on demande : *untuk linggih ?* — « où êtes-vous assis ? » — pour signifier : « De quelle caste êtes-vous ? » Dans le parler autoritaire, l'index et le majeur rassemblés et pointés expriment l'ordre. Le coude du bras droit soutenu par la main gauche, la main droite fermée, paume vers le haut, pouce tendu vers l'extérieur, accompagnent les formules respectueuses.

Les manières aristocratiques connaissent à Bali un véritable succès populaire. Il n'est pas rare de rencontrer un jeune agriculteur qui laisse pousser un de ses ongles de 3 cm, parce que cela « fait » noble...

Une femme compte des nattes de feuilles tressées. Les feuilles fibreuses du pandanus, séchées et tressées, font office de nattes, appréciées pour leur légèreté, leur souplesse et leur résistance. Les Balinais en font de multiples usages, comme pour emballer les matériaux volumineux ou fragiles. Les nattes servent également d'aires de séchage sur lesquelles on étale les clous de girofle, le tabac, le riz et les fines galettes jajan nécessaires aux offrandes. Les plus finement tressées, bordées d'une couture, sont utilisées comme tapis de sol.

Phot. Barbey-Magnum

Phot. Serrailler-Rapho

Selon l'art du *songket*, **tissage traditionnel**, la tisseuse maintient son métier horizontal plus ou moins tendu grâce à une dossière en forme d'arc en bois finement ouvragé. Les tissus et les écharpes d'apparat ainsi obtenus étaient, jusqu'à une date récente, l'apanage de la noblesse ; c'est pourquoi la tradition se poursuit aujourd'hui autour des anciennes grandes résidences princières, tel le palais de Klungkung.

La scène sacrée

Tout le village participe à l'organisation du festival de son temple. L'eau bénite, les fumées d'encens, les prières, les offrandes et, pendant trois jours et trois nuits consécutives, les spectacles vont retenir les divinités sur les trônes qui leur sont dédiés.

Les officiants — *pemangku* —, habillés de blanc, s'affairent autour des offrandes, aidés par de vieilles femmes. Le son de la cloche des prêtres se mêle au brouhaha général, dominé par les mélodies lancinantes — *lambatan* — que l'orchestre du temple reprend inlassablement.

Devant le parvis, une vaste surface a été aménagée en théâtre de plein air : un préau de bambou, décoré de guirlandes de palmes et éclairé de lampes à pétrole, délimite la scène, et une cabane en feuilles tressées, fermée par un double rideau coloré, fera office de loges et de coulisses pour les acteurs. Tout autour, des boutiques-restaurants se sont installées. Les filles à marier,

dans les échoppes, servent timidement les clients, sous le regard amusé de leur mère. Non loin de là, les notables accueillent les acteurs et les danseurs. Le spectacle commencera vers 10 heures et se terminera peu avant l'aube. Les artistes ne recevront qu'un dédommagement minime et quelques dons en nature. Le public est avant tout celui des dieux, et c'est un honneur de le satisfaire.

Après le dîner en commun, la troupe d'acteurs se dirige vers ses loges rustiques, où chacun puise dans les paniers emplis d'habits, de masques et de maquillage.

Un genre, un thème, un style sont convenus entre les acteurs, les danseurs et les musiciens, et aucun d'eux ne consulte de partition, de livret ni de plan de scène. Les plus âgés, qui sont aussi les plus expérimentés, rappellent aux autres les grandes lignes du canevas choisi, tout en mâchant une chique de bétel. Assistés de leurs accompagnateurs — *tututan* —, les artistes s'habillent et se maquillent. Des plateaux chargés de verres de thé, de café, de gâteaux, de cigarettes leur sont offerts par les organisateurs, alors que le public curieux des enfants écarte les parois fragiles des loges pour observer ce monde mystérieux des métamorphoses.

Les membres du gamelan local s'installent derrière leurs instruments et, sur un signe des acteurs, attaquent le morceau d'introduction, brillant et contrasté, auquel suit la musique qui correspond à la danse préliminaire.

Un œil apparaît, un visage figé, une main frémissante, et le personnage aux gestes hiératiques passe dans notre monde, ancêtre exemplaire qui vient, en chair et en os, transmettre son expérience à ses descendants.

Phot. Gray-Gamma

Phot. Barbey-Magnum

Au fil des siècles, la danse et la musique du legong évoluèrent au sein des cours royales. Quelle que soit l'épopée servant de prétexte à la chorégraphie, cette danse requiert deux legong habillées de vert et une condong, servante, habillée de rouge. Malgré le temps consacré à l'école, les petites filles sont nombreuses à souhaiter devenir danseuses. Les postures sont cependant très difficiles à réaliser, et il leur faut mémoriser des suites de mouvements complexes, où chaque partie du corps doit être animée d'une vie propre, dans un synchronisme parfait avec les instruments de l'orchestre. Même les plus douées ne parviennent pas toutes à devenir de bonnes interprètes, car il leur manque parfois une qualité qui ne s'apprend pas : le taksu, la faculté d'être « habitée ».

... et d'artistes

S'IL N'EXISTE pas de mot particulier pour désigner l'art, c'est que la plupart des Balinais sont artistes. Depuis leur enfance, ils suivent et reproduisent les activités des adultes. Ils se familiarisent avec les offrandes, œuvres d'art mystérieuses, pièces montées atteignant parfois plusieurs mètres de hauteur, où toutes les formes, les matières et les couleurs se superposent. Le découpage rituel des feuilles de cocotier et leur assemblage en motifs abstraits ou figuratifs mobilisent les femmes du village, sous les yeux attentifs des enfants. Les gestes et les intonations des hommes qui conversent, les mouvements des femmes qui dédient les offrandes sont déjà du théâtre et de la danse.

Les gongs résonnent partout. Chaque village possède plusieurs ensembles de métallophones en bronze montés sur des châssis de bois sculpté. Les enfants, libres d'aller en bandes où bon leur semble, ne manquent pas de s'arrêter sous le préau où sont entreposés les instruments, et s'amusent à copier les gestes des musiciens. Quand les adultes se réunissent pour répéter, les enfants viennent s'asseoir sur leurs genoux. Parfois, le musicien prend la main de l'enfant, la referme sur le manche du maillet et continue à frapper les lames de bronze, manipulant le bras souple de son élève. Le solfège est inconnu, et il faut apprendre par la pratique, en faisant confiance à la mémoire corporelle. Lorsque l'enfant est suffisamment imprégné par la mélodie, il est lâché et continue tout seul. Il en va de même pour la danse. Les enfants miment au cours de leurs jeux les danses auxquelles ils ont assisté maintes fois à l'occasion des fêtes. On aidera les plus doués à devenir danseurs. Dans un premier temps,

La **danse balinaise** est avant tout faite de postures (agem). Ici, la condong (servante), dans la danse legong, réalise une agem kiri, posture à gauche, le poids du corps reposant sur la plante du pied gauche. Le visage, lui aussi, se fige selon certaines expressions codifiées (tangkep)... Chaque partie du corps doit ainsi se conformer à de nombreuses figures, qui s'enchaînent au cours de la danse.

Le kecak, dont on voit une scène ici, est un rituel de transe que certains villages organisent lors des lunes mortes ou des épidémies. Le chœur des hommes imite le cri des grenouilles, ket, ket...cak, cak..., et invite à la transe des jeunes filles impubères, afin que les nymphes célestes s'incarnent en elles et expriment par leur bouche la volonté des dieux. Dans les années 30, ce rituel fut transformé en chorégraphie, mettant en scène l'épisode du Rāmāyana où intervient l'armée des singes.

Chaque village possède plusieurs ensembles de métallophones, orchestres à percussion, ou gamelans, dont les différents types correspondent à des répertoires rituels appropriés. Le gamelan le plus commun est le gong, qui peut compter une trentaine d'exécutants.
Le musicien, à l'aide d'un maillet (game) qu'il tient dans sa main droite, frappe les lames vibrantes et les étouffe au fur et à mesure avec sa main gauche.

Phot. C. Lénars

l'apprentissage a lieu en famille. Les parents chantent la mélodie en imitant les timbres des instruments, et plus spécialement celui du tambour, sur le rythme duquel s'appuie le danseur. En même temps, ils tiennent l'enfant par derrière, rectifiant sans cesse la position de sa tête, de ses mains, de ses genoux... Dès que l'apprenti est aussi habile que ses maîtres occasionnels, il va suivre l'enseignement du meilleur danseur du village.

L'espace balinais est peuplé de sculptures. À chaque coin de route, des gardiens de pierre, face monstrueuse et posture agressive, protègent l'entrée d'un temple. Le lion ailé Singga en bois polychrome est juché sur la poutre maîtresse du pavillon communautaire. Garuda, guerrier ailé à tête d'oiseau, n'est pas seulement l'emblème de l'Indonésie : véhicule de Viṣṇu au pouvoir bénéfique, il orne en de multiples exemplaires les temples et les demeures. Gravées sur une porte, tissées dans le sarong dont les hommes ceignent leur taille ou imprimées sur un paquet de bonbons, les multiples figures de la mythologie balinaise se rencontrent à tous les instants.

L'air saturé d'humidité délave le bois peint, et les vers le rongent. Après un demi-siècle à peine, la statue de pierre para, tuf volcanique poreux, est rongée par les lichens. Il y en a tant à remplacer que les Balinais n'arrêtent pas d'en confectionner de nouvelles, les adultes aidés encore une fois par les enfants.

Les objets d'art et les spectacles sont des offrandes dont la société a besoin pour attirer les ancêtres sur la terre. L'enjeu est tel que personne à Bali ne peut refuser de participer à la Beauté. Les danses votives que les femmes exécutent dans le temple ne réclament aucune virtuosité. Les femmes sont alignées derrière la plus experte, et chacune suit les mouvements de celle qui la précède. À l'inverse, la danse de cour *legong* implique pour les danseuses un entraînement quotidien depuis l'âge de quatre ans. Incarnant des nymphes célestes, elles doivent atteindre la perfection avant la puberté, qui marque la fin de leur état de grâce.

Les thèmes des spectacles se ressemblent, bien que leur interprétation soit à chaque fois différente. Presque toujours, le pouvoir officiel, qui tient à conserver sa religion et ses traditions, se mesure au pouvoir des magiciens athées, qui tentent de le renverser. Les canevas, conformistes d'apparence, ne lassent pas le public, qui trouve toujours son compte dans la perfection esthétique ou la truculence des improvisations. Quand il s'agit d'une séance de théâtre d'ombres, les lettrés s'asseoient derrière le *dalang* — manipulateur et récitant. Sensibles aux subtilités de la langue de cour, *kawi*, ils apprécieront surtout les longs récitatifs savants qui préludent à l'action. Les enfants qui dorment agglutinés devant l'écran se réveilleront au moment où les personnages comiques se couvrent de ridicule ou pendant les batailles. Le public féminin préférera les passages courtois ou le chant désespéré de Dewi Kunti quand ses fils partent en exil.

Naître parmi les offrandes...

L'ÊTRE HUMAIN est un « passage » sur cette terre. Il vient du ciel des ancêtres et y retourne, avant de se réincarner dans quelque descendant.

Dès l'apparition dans le ventre de sa mère, des offrandes lui sont faites. Après sa naissance, il ne touchera pas la terre pendant trois mois. Appartenant encore au monde des esprits, il ne doit pas être souillé. À partir de la cérémonie des trois mois, il portera un nom et apprendra à vivre avec douceur, sous la protection de ses quatre amis, *kenda empat*, qui sont nés avec lui (sang, placenta, poche et liquide amniotiques), mais resteront enterrés dans la cour de la maison.

L'homme a aussi des points faibles et plus précisément six, *sad ripu*, « six ennemis » : paresse, indifférence, indécision, cupidité, luxure, orgueil. L'être humain doit se différencier de la bête, mais lui ressemble un peu,

Cérémonie de purification de l'âme des morts dans la région de Gianyar. L'âme du commun des mortels est incapable de s'envoler d'un seul coup d'aile vers sa résidence céleste. C'est pourquoi les familles organisent une deuxième crémation — symbolique — de leurs défunts, parachevant ainsi la première grande cérémonie d'incinération. Selon le rituel, des effigies sont portées en procession sur des plateaux d'argent repoussé, puis brûlées. Les cendres recueillies sont abandonnées à la mer. Une fois le corps et l'apparence définitivement purifiés, l'âme (pitra) peut entreprendre sans regrets son voyage dans l'au-delà.

Phot. Couteau-Top

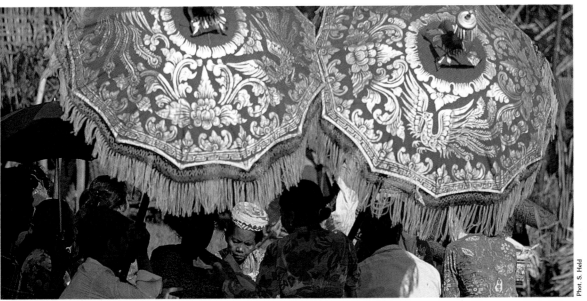

Phot. S. Held

Le pura dalem — temple des divinités infernales — abrite deux personnages sacrés, qui se disputent le pouvoir au royaume des démons : le barong exorciste, animal fabuleux et Rangda, la sorcière maléfique. Aux dates qui leur sont favorables, ils quittent le temple et font un parcours rituel autour du village.

Les ombrelles (payung) confèrent un caractère céleste aux activités qu'elles protègent du soleil. Un roi, un grand prêtre ne pouvaient se déplacer qu'à la condition d'être accompagnés de deux porteurs d'ombrelles. Aucune cérémonie ne se déroule actuellement sans ces accessoires aristocratiques.

surtout s'il porte six dents pointues à la mâchoire supérieure... Ces quatre incisives et ces deux canines seront limées à l'adolescence, au cours d'un rite pénible, adouci par la fierté de ceux qui le subissent. Avec ses dents nouvellement égalisées, l'initié mord dans une chique de bétel, offrande que l'on se fait à soi-même quand on est passé dans le monde adulte.

Le mariage est nécessaire si l'on veut accéder au statut de citoyen de son village. Pour être sûr que les rapports intimes aboutiront inéluctablement au mariage, le code balinais est extrêmement diversifié et prévoit des cérémonies ratifiant tous les cas possibles de séduction. Le plus chevaleresque est le *ngerorod*, mariage par enlèvement. Bien que le cas soit assez rare, les futurs époux et leur famille apprécient souvent cette formule et « font semblant », les uns, de se cacher, les autres, de chercher... À la fin du jeu, et une fois les cérémonies accomplies, la femme rejoint son mari et sa belle-famille.

... et mourir en rêvant

L'HOMME DÉSIRE UN FILS. Nul ne sera mieux habilité que celui-ci pour mener à bien les rites funéraires qui permettront à l'âme de son père de se détacher de cette terre sans remords.

À Bali, il existe mille manières de faire quelque chose, et même de mourir. Il en est une, par exemple, qui consiste à mourir *mimpi*, « en rêvant »... Quelles que soient les circonstances, l'âme sort par la bouche et ne revient pas, continuant à rôder aux alentours. Le mort est exposé dans la maison, puis lavé par tous les membres adultes de la famille. Pour que l'âme accepte d'être purifiée, il faut donner au corps, encore pour quelques jours, l'apparence de la vie. Des débris de verre posés sur ses paupières, une gomme odorante dans la bouche donnent l'illusion de la vue et du goût... Si la famille n'en a pas les moyens ou que la date n'est pas favorable à la crémation, le corps est enterré près du *pura dalem*, « temple infernal ».

La préparation de l'incinération est longue et coûteuse, surtout pour une personne de haute naissance. Il est nécessaire d'acheter de grandes quantités de matériaux, et de faire appel à une nombreuse main-d'œuvre qu'il faut défrayer et nourrir. La famille, jusqu'au plus éloigné des cousins, est alors tellement occupée qu'il lui faut abandonner toute autre activité.

S'il s'agit d'un membre de la caste des *kṣatriya*, le corps est placé au centre d'une tour entièrement décorée, qui peut atteindre 20 m de hauteur. Ce monument, *badé*, symbolise le cosmos. Une centaine de porteurs l'arrachent du sol et la tour part en zigzaguant vers le *pura dalem*, suivie des métallophones et d'un sarcophage représentant un taureau noir géant aux cornes d'or. Au carrefour, la tour tourne trois fois sur elle-même. L'excitation et les cris sont à leur comble, mais, après avoir failli perdre l'équilibre, la tour poursuit son chemin. Cette manœuvre, qui semble à première vue accidentelle, sert à égarer les démons qui pourraient suivre le cortège.

Le corps est descendu de la tour et déposé à l'intérieur du taureau. En quelques minutes, vingt millions de rupiahs et quatre mois de travail partent en fumée, modique rançon de l'immortalité.

Crémation d'un noble de la caste kṣatriya, à Ubud. Une fois la foule dispersée, les membres du Puri Ubud, palais d'Ubud, viendront recueillir les cendres de leur parent et les déposeront dans un linge blanc, accompagnées de fleurs et d'anciennes pièces de monnaie chinoise à perforation carrée. Plus tard, ces restes ténus seront confiés à la rivière ou à la mer.

Les trois regards. Les yeux sont les miroirs de l'âme, aussi les tracés et les couleurs qui soulignent leur forme sont-ils codifiés, afin de suggérer les qualités intrinsèques de celui, ou de celle, à qui ils appartiennent. Ces regards sont, de gauche à droite, celui d'une femme, celui d'un homme et celui d'un démon.

Sulawesi, le royaume du buffle

L'HOMME S'AVANCE LENTEMENT vers le centre du cercle formé par tous les habitants du village. Il a le regard perçant de l'officiant chargé d'une mission capitale, à l'instant où celle-ci va s'accomplir. Il mène l'énorme buffle albinos face au chef du village. L'animal suit paisiblement.

Sur un signe imperceptible du chef, l'homme tire doucement sur la longe prise par un anneau dans les naseaux du buffle. L'animal lève la tête. Un coup de machette donné avec une force et une volonté inouïes a tranché net la veine du cou. De la plaie béante surgit un flot de sang. Les enfants se précipitent avec des bambous creux pour récupérer le liquide bouillonnant. La bête vacille un instant, puis s'écroule lourdement.

La légende toraja veut que l'âme du buffle porte l'âme du défunt sur le long chemin de la terre des ancêtres. L'événement crucial de *Mabadong*, rituel des funérailles torajas, a réussi. La foule exulte. Que l'on amène un autre buffle...

La route des épices et le marché de la déraison

COMMUNÉMENT APPELÉE « CÉLÈBES », Sulawesi représente un triple trésor.

Trésor historique, Sulawesi fut le théâtre de durs combats pour la conquête de la route maritime vers les îles produisant la cannelle, la vanille, le poivre, le clou de girofle, autant de denrées très recherchées pour

Le partage de la viande de buffle au cours de la cérémonie funéraire. Chaque participant a droit à une pièce soigneusement choisie en fonction de son rang ou de son lien de parenté avec le défunt. L'affaire n'est pas simple, et de nombreuses discussions, parfois violentes, opposent souvent un invité vexé à la famille qui a malencontreusement choisi le quartier de viande qui doit lui être remis.

conserver la viande, ou plutôt pour dissimuler l'odeur et le goût de la viande avariée, qui, au XVIIe siècle, était consommée en Europe, pendant l'hiver, par les cours royales et princières. Ce fut une des raisons historiques de la « guerre de cent ans » que se livrèrent Portugais, Espagnols, Anglais et Hollandais dans l'archipel des Indes orientales.

Trésor ethnologique, Sulawesi abrite les peuples macassars et bugis, navigateurs et pirates qui jouèrent (et jouent encore) un grand rôle économique dans le pays, mais aussi, se dissimulant au cœur des vallées presque impénétrables, des tribus animistes aux origines lointaines et confuses, aux rites spectaculaires, les Torajas, qui développèrent, dans une autarcie complète, une civilisation fascinante.

Trésor d'esthétique, Sulawesi associe à des conditions naturelles exceptionnelles des sites d'une beauté et d'une diversité extrêmes.

Dès l'arrivée à Ujungpandang (ancienne Macassar), le voyageur sent le pays de marins. La proximité de la mer, la présence de canaux et de rivières grouillant de petites embarcations indiquent que l'on est au cœur du pays bugis. La région respire la misère : maisons recouvertes de tôle ondulée, toutes construites sur le même modèle, hauts pilotis pour remédier aux inondations incessantes, petit perron latéral donnant accès à la porte d'entrée, et trois fenêtres en façade, une pour les parents, une pour les enfants, la troisième pour les invités !

Nous sommes au pays des grands marins de l'archipel indonésien : sillonnant dans tous les sens une mer peu profonde, réputée, à tort, pour ses eaux calmes, Bugis et Macassars sont les rois de la mer. Leurs navires sont les *prahu*, ces barges à voiles auriques, ventrues, d'une vingtaine de mètres de long, portant un énorme bout-dehors. Rapides malgré leur apparence pataude,

C'est pour le **giroflier**, à l'apparence insignifiante, et sa précieuse épice que les nations européennes ont dépensé, durant des siècles, des fortunes et engagé des guerres meurtrières sur toutes les mers d'Asie. Le clou de girofle, au parfum violent et à l'effet analgésique bien connu, est maintenant délaissé de l'Occident, mais il trouve encore des débouchés importants en Orient, puisqu'il entre aujourd'hui dans la composition de toutes les cigarettes indonésiennes, auxquelles il donne un goût vraiment surprenant.

Le cochon noir est très recherché. Engraissé, gavé, ficelé, vendu à prix d'or, promené de marché en marché comme un vulgaire ballot de riz, il semble même avoir été dépossédé de sa qualité d'être vivant. Et pourtant, il est avec le buffle la victime indispensable à toute cérémonie. Certains cochons atteignent le poids respectable de 300 kilos et peuvent à peine se mouvoir, mais le transport ne pose aucun problème d'organisation...

chargés jusqu'au pont des matériaux les plus divers, les *prahu* ont, de tout temps, été le véhicule du commerce entre les îles de la Sonde et les grands ports de Surabaya et de Jakarta.

Le rôle des Bugis et des Macassars ne se limite pas au commerce des denrées, il s'applique aussi au commerce des idées. En effet, ceux qui devinrent au XVIIIe siècle les serviteurs attentifs de la colonisation hollandaise — qui leur assura une suprématie maritime et le monopole du trafic — avaient été les véhicules de l'influence islamique dans le pays.

Aujourd'hui, outre une certaine propension à la piraterie aux dépens des voiliers de plaisance et des bateaux de réfugiés vietnamiens, les marins bugis utilisent leur parfaite connaissance de la mer pour acheminer, en un temps record, les grumes de bois de construction, le bois précieux, les minerais bruts et, plus rarement, les denrées putrescibles ou périssables :

on ne fait guère confiance à l'étanchéité des coques. Nul besoin de compas, de boussoles, de radios ou de cartes, le maître à bord se dirige à vue, grâce aux récifs et aux innombrables îlots parsemant la mer intérieure. De nuit, la navigation aux étoiles ou, mieux, la navigation à l'estime, en dépit des forts courants, restent le mode de navigation le plus utilisé, mais le taux de naufrages est impressionnant. En effet, les barges, surchargées, naviguent au ras de l'eau, et le moindre coup de vent sérieux envoie par le fond une dizaine de bateaux dans la nuit.

L'influence des Bugis et des Macassars, qui représentent une population fort nombreuse dans la région côtière, se manifeste essentiellement par l'importance de la religion islamique. Si on ne peut guère parler à leur sujet de « culture », ils sont néanmoins à l'origine d'une véritable civilisation maritime, totalement orientée vers l'extérieur.

Sulawesi abrite, en revanche, à l'intérieur des terres, une civilisation beaucoup plus développée. Au XIVe siècle, l'arrivée des envahisseurs bugis et macassars entraîna la guerre entre les nouveaux venus et les anciens occupants. Les indigènes, refoulés, se réfugièrent dans les profondeurs de l'île, là ou personne ne viendrait les déloger. La route qui mène au domaine des Torajas en dit, en effet, long sur l'invincibilité de leur forteresse. Après avoir longé sur une centaine de kilomètres la côte ouest de Sulawesi, aux longues plages de sable jalonnées de villages de pêcheurs,

La récolte du riz se fait par minuscules gerbes, qu'il faut convoyer à la main et minutieusement juxtaposer à l'intérieur du grenier, préservées des rongeurs et, si possible, des insectes.

construits sur pilotis, on voit se dresser à l'horizon, l'impressionnante muraille d'un lourd massif couvert d'une jungle inextricable. La route pique en pleine montagne, se faufile avec peine dans des gorges surplombées de sommets dépassant 3 500 m. Les arbres, immenses, tentaculaires, débordent sur la route, se penchent au-dessus du vide. Jamais un paysage n'a dégagé une telle sauvagerie. Sulawesi est le royaume des pythons géants (11 m pour le plus long), des araignées monstrueuses, des lézards dignes de l'ère secondaire. La simple idée d'une panne sérieuse fait frémir. Au bout de quelques heures, le paysage se civilise. À mesure que la route descend, la vallée s'élargit, des terres en friches, puis des rizières sèches apparaissent. Un village, blotti contre la montagne, surgit enfin. Le pays toraja est encore à quelques heures de route, mais la main de l'homme a déjà apaisé la nature.

Voici Makale, la capitale administrative. Rantepao, le centre économique de la région, est à une quinzaine de kilomètres. Environ un million de Torajas vivent dans la vallée depuis le XIVe siècle. D'où viennent-ils ? Leur origine est mal connue. Des confins de la Birmanie, peut-être de Chine du Sud. Comment sont-ils venus ? Par bateau, pour s'installer sur la côte ouest de Sulawesi, avant d'en être chassés par les Bugis. Une seule certitude permet de situer les origines de la civilisation toraja : ce sont des *Early Malays*, des Proto-Malais appartenant à la première vague de migration vers l'Asie en provenance de l'est, du Pacifique.

Les Torajas, en fait, n'ont pas vraiment le type asiatique : les hommes ont une silhouette élancée, une solide masse musculaire, le teint bronzé et beaucoup d'élégance naturelle. Les femmes, plus petites et plus frêles, ont peut-être un type « chinois » plus marqué, un visage mince, des yeux bridés, les pommettes hautes, mais toujours cette élégance innée dans le geste et les attitudes.

L'ambiance de la rue est franchement détendue. Le sourire est sur toutes les lèvres. Rantepao est le lieu de marché traditionnel et rassemble, deux fois par semaine, la population des villages environnants. L'événement est d'importance. Le marché est l'occasion pour chacun de s'approvisionner en denrées de première nécessité, sel, riz, épices, mais aussi en petites gâteries (noix de bétel, tissu) et objets usuels qui font périodiquement défaut. Lorsque l'argent vient à manquer, le troc est de rigueur, chacun s'efforçant de trouver son compte dans des arrangements d'une complication extrême.

Le marché traditionnel est l'apanage des femmes. Par contre, le marché du buffle et du cochon est réservé aux hommes. Des centaines de bêtes sont, chaque semaine, exposées à la vente. Le marché est révélateur du souci majeur de toute famille toraja : acquérir au meilleur prix les animaux indispensables à toute cérémonie. À Sulawesi, la valeur d'un buffle est beaucoup plus élevée que dans le reste du pays. Les prix sont, en fait, exorbitants, et le moindre buffle albinos s'arrache à prix d'or. Une famille se ruine parfois pour acquérir un cochon aux mensurations hors du commun. Force est alors de constater une vérité première de la civilisation toraja : le buffle et le cochon sont devenus de véritables régulateurs économiques de la vie collective dans la vallée. Pour en arriver là, il a fallu une évolution lente et pernicieuse des habitudes et des coutumes vers ce qui devient une folie collective incontrôlable. Qui aurait pu penser que le prix du buffle aurait ainsi dicté sa loi à toute une population ?

Dans la hotte de cette femme qui se rend au marché se trouve l'un des fruits les plus pestilentiels que la nature ait jamais inventés : le durian, à la carapace couverte de piquants. Dès le premier coup de canif, les effluves nauséabonds qui s'en dégagent sont difficilement soutenables pour un nez européen. Pourtant sa chair est délicieuse, surtout préparée en salade et mélangée à d'autres fruits d'une odeur plus classique et plus subtile.

Le vin de palme est contenu dans de grands bambous creux. C'est là que le producteur le laissera fermenter une ou deux journées, en ayant pris soin de boucher l'extrémité supérieure, comme on le fait des bouteilles. La boisson qui en résulte est opaque, de couleur blanchâtre, légèrement pétillante, d'un goût acidulé, rafraîchissante.

Phot. Latude-Gamma

Denrées et paquets se portent sur le dos et s'attachent à l'aide d'une tresse posée sur le front, à la manière des porteurs népalais, et non pas directement sur la tête comme dans la majeure partie des autres pays asiatiques. C'est grâce à de semblables détails que les ethnologues parviennent à mieux situer les origines de chaque tribu avant leurs migrations successives.

Une marchande de poisson, dont on distingue à peine le visage sous le vaste chapeau traditionnel. Un seul poisson séché, servi avec une portion de riz, sert le plus souvent à nourrir quatre ou cinq personnes. Le poisson pêché dans les rivières voisines est la seule source de protéines animales dans l'alimentation des tribus torajas. En effet, la consommation de porc ou de buffle est exceptionnelle, puisqu'elle ne survient que lors des grandes cérémonies rituelles.

Des toits en forme de navire renversé

À LA FIN DU MARCHÉ, la ville se vide. Chacun retourne vers son village, à quelques kilomètres de là. Les Torajas aiment l'isolement et la sécurité de leur habitat. Le village toraja reflète un souci constant d'esthétisme et de respect de la tradition. Deux lignes de bâtiments se font face de part et d'autre de la place centrale. D'un côté, quatre ou cinq maisons (rarement plus), hautes de 12 à 15 m, reposent sur d'énormes pilotis. Les élancements de la toiture tiennent du prodige et donnent à l'ensemble son originalité et son cachet. Le fronton, entièrement sculpté de minuscules motifs géométriques, est peint de couleurs traditionnelles.

Le toit est absolument unique. Un minutieux assemblage de milliers de bambous, fendus en deux dans le sens de la longueur et imbriqués les uns dans les autres, protège l'habitat du ruissellement des eaux. Une épaisse couche de chaume de riz et d'herbe assure l'isolation. La forme de la toiture, si particulière, a suscité des controverses. Certains affirment que ses origines maritimes ont inspiré au peuple toraja ce toit en forme de bateau renversé. D'autres y voient une ressemblance avec la forme des cornes du buffle omniprésent dans la vie quotidienne comme dans la vie céleste.

La longue avancée du toit est étayée par un solide pylône de teck, planté dans le sol et ancré sous le faîtage. Sur ce pilier sont exposées les cornes des buffles abattus au cours de cérémonies funéraires.

Certaines familles affichent leur richesse et leur rang en accrochant ainsi des dizaines de trophées. La demeure du chef du village se distingue par une tête de buffle entière accrochée à son fronton.

De l'autre côté de la place, face aux habitations, une dizaine de greniers à riz, construits en arc de cercle, avec le même souci d'harmonie et de décoration, complètent parfaitement l'ensemble architectural de la communauté toraja.

Le village regroupe environ 250 à 300 personnes vivant pratiquement en autarcie. En effet, rares sont les échanges de denrées de toute première nécessité. Le marché du village ne revêt donc pas une importance primordiale, contrairement au grenier à riz. Lorsque les Torajas s'installèrent dans la région, leurs connaissances agronomiques étaient réduites à leur plus simple expression : cueillette, culture sur brûlis et rizière sèche. Plus tard, ils en vinrent à la rizière irriguée, avec son inextricable système d'adduction, qui donne au paysage toraja une apparence classique en Asie. Mais, de nos jours encore, l'absence de fertilisants ainsi que celle de tout effort suivi de rationalisation dans l'usage de chaque parcelle et une certaine mauvaise volonté à s'entraider, d'un village à l'autre, entraînent une baisse des rendements et des pertes considérables à chaque récolte. L'ensilage des gerbes étant, par ailleurs, fait sans grande protection contre les rongeurs, la déperdition ne peut que s'aggraver avec le temps. La culture du riz occupe donc la quasi-totalité de l'emploi du temps du village. La vie quotidienne s'oriente essentiellement autour des activités agricoles, surtout depuis que l'esclavage a été aboli.

En pays toraja, le paysage est d'une rare beauté. Les majestueuses maisons trônent au milieu de rizières verdoyantes finement ciselées sur le pourtour des collines ; partout, aux alentours, la jungle épaisse, impénétrable, met en valeur l'énorme travail accompli par l'homme pour arracher le moindre lopin de terre à une nature aussi sauvage.

Dans le village de Kete Kesu, l'occasion de travailler en commun permet aux femmes de se retrouver entre elles. Dès le plus jeune âge, les enfants sont invités à partager les travaux des adultes, ce qui leur donne ainsi une place à part entière dans la société et leur permet d'acquérir rapidement une maturité étonnante.

En effet, la structure sociale toraja impliquait l'existence d'esclaves, souvent véritables martyrs jusqu'à une époque qui n'est pas si lointaine.

Les Torajas, ne l'oublions pas, sont des coupeurs de têtes ; lors des cérémonies, ils sacrifiaient les esclaves aux dieux.

La bourgeoisie constitue la classe sociale la plus opulente. Le bourgeois a droit à tous les égards, à condition que sa fortune grandisse et qu'il paie régulièrement son tribut au chef du village. Mais il ne pourra cependant pas s'élever dans la hiérarchie du village. Ses héritiers, en revanche, pourront éventuellement appartenir à la classe des chefs, à l'occasion d'une succession difficile où le bourgeois pourra faire sentir son poids économique dans le village.

Au sommet de la hiérarchie siège le clan des chefs. Honneur héréditaire, donnant tous les droits et une autorité dictatoriale, cette appartenance implique peu d'obligations, si ce n'est celle de pouvoir tenir son rang, en particulier au cours des cérémonies traditionnelles où la symbolique du buffle prend toute sa signification.

Au village de Kete Kesu se trouve la plus belle collection de cornes du pays toraja. Elle témoigne du nombre de buffles abattus par la famille.

Le grenier à riz est une véritable réduction de la maison. Le grand nombre de ces constructions et la finesse de leur décoration déterminent la richesse du village. Leurs propriétaires invitent parfois un ami à s'installer sur la petite estrade fixée entre les piliers, comme pour mieux lui faire sentir le poids de la récolte suspendue au-dessus de sa tête.

Phot. J. Bottin

Phot. Pix

La construction de la maison est le chef-d'œuvre familial. L'extraordinaire complexité de la structure du toit est ici mise en évidence : les bambous, fendus en deux dans leur longueur, sont imbriqués les uns dans les autres sur une dizaine de couches superposées. L'élancement de la toiture nécessite des prodiges d'ajustage si l'on veut affiner la structure sans rompre l'équilibre et l'étanchéité de l'ensemble. L'échafaudage de bambous sert à la fois de cale et de repère aux ouvriers pour assurer la symétrie de l'ensemble, l'une des plus belles constructions artisanales du monde.

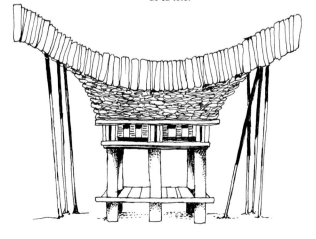

L'île du buffle
et le chemin des ancêtres

LES ASPECTS ESSENTIELS de la religion toraja reposent sur quelques points fondamentaux. Tout d'abord l'existence d'un univers conçu par un « Tout-Créateur », Puang Matua. Puis la notion d'une multitude de ciels, qui rassemblent les âmes des disparus : ancêtres, feu, riz, poisson, buffle, poulet et homme, et auxquels l'être humain accède après sa mort par « des chemins longs et difficiles ». La croyance toraja érige en principe immuable que la création du buffle par Dieu est antérieure à celle de l'homme. C'est la raison pour laquelle cet animal est considéré comme l'intermédiaire privilégié entre l'homme et les disparus ; à ce titre, il participe à toutes les cérémonies, afin d'accompagner l'âme des morts sur le chemin du ciel des ancêtres. Les familles se privent durant des mois pour acquérir l'animal, sans lequel ne peut avoir lieu la célébration d'un grand événement familial : construction d'une maison, mariage et, bien entendu, funérailles.

Le défunt est mort depuis longtemps, voire très longtemps, lorsque commence la cérémonie des funérailles, qui se déroule le plus souvent pendant trois jours et trois nuits. Entre-temps, la famille du défunt considère celui-ci comme un malade, le soigne, le lave, le vide de ses humeurs et même... le nourrit jusqu'aux obsèques, dont la date favorable est choisie par l'officiant en fonction des possibilités de la famille à réunir les fonds nécessaires à l'achat des animaux et aux somptueuses dépenses d'hébergement et de nourriture

Mabadong. « Élargissez le cercle et laissez venir ceux qui pleurent », l'invitation prend tout son sens alors que des centaines d'invités en tenue de deuil s'approchent de la place funéraire à la nuit tombée et joignent leurs voix au chœur lancinant des mélopées traditionnelles qui se poursuivront tard dans la nuit.

Le cortège est formé. Le cercueil de celui qui est toujours considéré comme un malade est amené jusqu'à la tour funéraire en forme de maison toraja. Les femmes pleurent le défunt. L'ambiance est déchirante. La veuve — s'il s'agit d'un homme marié — prend place aux côtés de son époux, à l'intérieur même de la maison funéraire, qui est portée à dos d'hommes, et le drame bascule dans la fête...

Phot. D. Jeu

... C'est la ronde folle du cortège aux quatre coins du village. Les esprits sont un peu échauffés par le vin de palme. La maison funéraire, la veuve, le mort sont secoués en tous sens et sans ménagement. Le chahut est général. La fête bat son plein.

Le buffle est à peine écroulé que la foule se précipite et plonge des bambous acérés dans la plaie béante pour recueillir le sang. La vie, l'amour, l'horreur, la mort et la joie se mêlent en de semblables instants, en pays toraja.

des invités. De nombreuses cases de bambous (parfois plus d'une centaine) sont dressées pour accueillir ces derniers. Un véritable village prend naissance autour de la maison du mort, nécessitant l'embauche et l'entretien de dizaines d'ouvriers.

Au jour de la cérémonie, le mort est amené dans la grande maison funéraire élevée au milieu de ce village éphémère : trois mille personnes ont été invitées. Deux mille sont déjà là pour une cérémonie qui n'a rien d'exceptionnel. Le soir tombé, le cercle de « ceux qui pleurent » se forme autour du défunt. Une douce litanie, ponctuée de longs silences, puis des phrases chantées s'élèvent du chœur des participants : c'est *Mabadong*, prière rituelle, poème à la gloire du défunt, épitaphe, danse funéraire marquant le début du rituel. Le lendemain se déroule le combat de buffles pour désigner le plus fort, le plus courageux, bref celui qui sera abattu le premier. Vient ensuite la promenade du défunt, en un joyeux cortège autour du village et dans les villages environnants. Parfois même, le rituel tourne au chahut général. En fin de journée, *Mabadong* reprend, entonné

par des centaines de voix, toute une longue nuit. Au matin du troisième jour, les participants sont attroupés pour assister au moment fort de la célébration : l'abattage des buffles. Cette incroyable boucherie se déroule dans une ambiance de délire collectif. Une vingtaine de bêtes sont parfois égorgées dans la matinée. Le spectacle est dantesque, mais l'âme du mort peut alors partir en paix... Et en bonne compagnie. Les animaux sont ensuite dépecés et chacune des personnes présentes reçoit, selon son rang et son âge, un morceau précis. Au milieu de l'après-midi, le défunt est porté vers le *rante*, cimetière constellé de grands menhirs votifs à la mémoire des morts. D'autres bêtes sont abattues, dépecées et partagées entre les invités. Enfin le défunt est conduit en procession vers la tombe familiale : une excavation creusée à même la roche et fermée par une lourde porte sculptée. Une effigie de bois à son image est placée sur la falaise funéraire, dans une niche aménagée face au village. Les « morts aux balcons » veillent ainsi sur la paix du village.

Étonnants rites torajas, qui font paradoxalement de la mort d'un homme le plus beau moment de sa vie. Ruineuses coutumes qui obligent des familles à voir disparaître leur cheptel en quelques heures. Lorsque l'on sait qu'un buffle albinos coûte le prix d'une automobile en Occident, ou qu'un cochon adulte s'achète aussi cher qu'un cyclomoteur, et que certaines cérémonies nécessitent l'abattage d'une cinquantaine de bêtes et l'entretien de deux mille personnes durant trois jours, on comprend que bien des familles aient dû s'endetter pendant dix ans... à seule fin de tenir leur rang. Des troupeaux entiers sont décimés, donnant ainsi naissance à un marché noir qui ruine l'économie, pourtant fragile, de la région.

Les autorités indonésiennes, par souci de ramener ces rites à une plus juste mesure, ont tenté de réglementer les sacrifices d'animaux, au nom d'une meilleure utilisation du cheptel, mais surtout au nom d'une religion musulmane peu tolérante envers les minorités ethniques. Une lourde amende pénalise les villages et les familles qui abattent trop de bétail, aggravant un peu plus la dette de la communauté. En fait, le rituel immuable est pratiquement l'unique occasion pour le peuple toraja de consommer de la viande. Et c'est bien là que le buffle et le cochon peuvent remplir leur rôle de régulateur économique. En distribuant de la nourriture aux pauvres, en restituant aux déshérités les bienfaits et l'opulence des nantis, en obligeant le clan des chefs à tenir son rang et en donnant aux bourgeois l'opportunité d'accéder par la fortune à la caste supérieure, la société toraja peut assumer en permanence les évolutions de sa structure dans une tradition séculaire.

Une fois encore, malgré les coups de boutoirs de l'islām, en dépit des nouvelles contraintes du gouvernement de Jakarta, au-delà des influences timides de la chrétienté, la tradition religieuse est la seule valeur de référence pour un peuple qui a vécu aussi longtemps dans un isolement total. Mais, lorsque cette tradition ne respecte plus l'équilibre fondamental de la société qu'elle régit, il y a danger pour la communauté des hommes. C'est par le buffle que naquit le peuple toraja. C'est peut-être aussi par lui qu'il disparaîtra.

Le cercueil est amené vers sa dernière demeure : une cavité très haut perchée dans la falaise funéraire, un peu à l'écart du village. Jadis, le corps était placé dans un caveau familial laissé ouvert. Les ossements des morts les plus anciens jonchent encore le pied de la falaise et les grottes, à proximité des plus vieux villages.

Les petites îles de la Sonde, la terre des oubliés

AU-DELÀ DE JAVA s'étend, sur un périmètre de plus de 8 000 km, une constellation d'îles ne couvrant guère plus de 150 000 km². L'archipel de Nusa Tenggara s'ordonne autour de deux grands axes : un arc externe, plus ancien et plus stable, qui regroupe Sumba, Timor, Tanimbar et Aru, mais aussi Nias et Mentawai, au large de Sumatra ; un arc interne, composé d'un chapelet d'îles montagneuses (en fait les sommets d'une chaîne immergée), qui constitue un ensemble plus récent, volcanique et instable. Dans la continuité géographique de Sumatra, de Java et de Bali, Lombok, Sumbawa et Flores sont prolongés, à l'est, par une myriade d'atolls en mer de Banda.

Dans l'archipel indonésien, seule Kalimantan échappe à cet ordre bien établi : les 539 460 km² de cet épais massif non volcanique ne constituent pas un ensemble cohérent. Alors que les montagnes du Nord-Bornéo malais se rattachent géographiquement à l'archipel des Philippines, la partie indonésienne est à rattacher au système montagneux des îles de la Sonde.

Une mosaïque de peuples

C'EST DANS CES TERRES hostiles, ingrates et mal adaptées au développement de civilisations que des tribus ont choisi de vivre. Ces divisions simples ne suffisent pas à expliquer l'extraordinaire foisonnement ethnique de l'archipel. En effet, au cours des siècles, l'ensemble des vagues de peuplement venues du Pacifique et de la mer de Chine s'est invariablement dirigé vers

l'archipel indonésien. Pressentant peut-être l'immensité et l'invincibilité de l'océan qui s'étend au-delà des terres indonésiennes, les migrants se sont accrochés aux mailles de ce gigantesque filet tendu sur plus de 4 000 km.

Avec l'énergie du désespoir pour trouver enfin une terre susceptible de les accueillir, ces tribus tentèrent, chacune à leur tour, de trouver refuge sur une île propice au développement de leur race, de leurs coutumes et de leur mode de vie.

L'histoire de la région regorge de ces guerres incessantes entre le nouvel arrivant et l'ancien occupant, pour la conquête ou la préservation d'une terre

Phot. Muller-Cedri

Une pêche spectaculaire dans la région de Lambata. L'homme, au regard entraîné à tenir compte de la déformation des objets sous l'eau, a situé précisément sa proie et plonge sur elle avec son harpon. Une telle méthode, dans des eaux extrêmement poissonneuses, révèle l'archaïsme des techniques de pêche des hommes de cette région, mais l'exploit sportif est remarquable.

Dans l'île de Komodo, les habitants vivent constamment dans la crainte de leur impressionnant voisin : le varan. Même si le monstre est un « charognard », qui se nourrit seulement de proies mortes, même s'il est censé vivre très à l'écart des habitations, il n'est pas rare de voir une ou deux silhouettes, longues de trois ou quatre mètres, se faufiler à la nuit tombée entre les arbres et entrer quelques instants dans l'eau, avant de disparaître à nouveau dans la forêt...

Phot. Gohier-Explorer

hospitalière, sinon fertile. Peu à peu, les situations se clarifièrent, les positions de chacun se stabilisant, et chaque tribu finit par trouver un havre de paix, au moins pour quelque temps. Dans la région de Nusa Tenggara, il est possible de parler de peuplement par approches successives. Les ethnologues se perdent en conjectures devant la mosaïque ainsi composée au fil des siècles : Proto-Malais, Papous, Chinois, Deutéro-Malais, Mélanésiens, Pygmées, aborigènes se juxta-

posent ainsi dans l'archipel, mais avec tout ce que cela comporte parfois de métissages plus ou moins récents, selon les tribus concernées, les influences extérieures et le degré de tolérance envers le voisin immédiat ou le nouveau venu. Une seule certitude, dans la grande majorité des cas, l'isolement total de la tribu a engendré à chaque fois une tradition unique, un dialecte particulier (parfois une langue), un type d'habitat spécifique, une croyance originale, un mode de vie

distinct au sein de cette palette d'une fascinante variété. Avec le temps, et malgré l'absence de contacts des peuples entre eux, on aurait pu s'attendre à une uniformisation de quelques coutumes ou habitudes présentant des points communs. Mais l'environnement, les différences climatiques, les influences historiques, religieuses et coloniales n'en ont pas voulu ainsi.

Chaque peuple a dû s'adapter aux spécificités de chaque île, mais il n'en a pas moins conservé les caractéristiques fondamentales de ses origines profondes. Quel rapprochement peut-on faire entre des territoires tels que l'Irian et Sumbawa apparemment si proches, mais situés de part et d'autres de l'équateur, si bien que le premier bénéficie d'une pluviométrie exceptionnelle, tandis que le second manque cruellement d'eau ? La chaîne volcanique des îles de la Sonde semble se rompre sur Sumbawa. L'ouest de l'île jouit d'une végétation dense et quasi tropicale, alors que la région de Bima présente un paysage de savane, signe évident de l'influence grandissante du climat austral, aride et sec. En Indonésie aussi un désert avance, inexorablement. À quelques kilomètres de Sumbawa, la verte Flores bénéficie d'une fertilité « volcanique ». Mais, à une heure d'avion vers le sud, Sumba, qui appartient à l'arc externe, présente une terre trop siliceuse pour qu'on puisse en tirer une récolte décente.

De telles disparités ne peuvent que se refléter sur les habitudes de vie des habitants. Les différences ethniques sont encore plus marquées. Sur un territoire grand comme la France, coexistent des Proto-Malais de Sumba, à la peau sombre, des Deutéro-Malais de Komodo, à la peau jaune et aux yeux bridés, mais aussi des Malaisiens de Sumbawa et des Mélanésiens de Flores. À cette liste, il faut encore ajouter les Papous et les Pygmées de l'Irian, les Niassiens de Sumatra, au célèbre faciès à nez aplati, et des Moluquois d'origine probablement polynésienne.

Les fondements mêmes de civilisations voisines semblent venus des antipodes : à la tradition mégalithique des constructions niassiennes et, à un moindre degré, des menhirs torajas, s'opposent la civilisation du bois de l'habitat à Lombok, à Timor ou à Sumba, mais aussi l'usage du bambou, de la feuille de palme et du roseau tressé à Flores ou à Sumbawa. L'utilisation généralisée du système de pilotis pourrait être une caractéristique commune à toutes ces îles. Mais son usage répond à des problèmes d'une nature bien différente selon les régions : s'il préserve les Dayaks de l'humidité du sol ou s'il sert d'étable à Sumbawa, il permet aux habitants de Komodo de vivre sur l'eau malgré leur dégoût pour toute activité maritime ; en fait, les pilotis les protègent d'un terrible voisin, le grand lézard, le célèbre varan de Komodo.

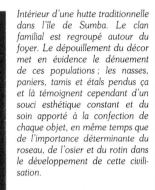

Intérieur d'une hutte traditionnelle dans l'île de Sumba. Le clan familial est regroupé autour du foyer. Le dépouillement du décor met en évidence le dénuement de ces populations ; les nasses, paniers, tamis et étals pendus çà et là témoignent cependant d'un souci esthétique constant et du soin apporté à la confection de chaque objet, en même temps que de l'importance déterminante du roseau, de l'osier et du rotin dans le développement de cette civilisation.

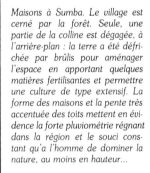

Maisons à Sumba. Le village est cerné par la forêt. Seule, une partie de la colline est dégagée, à l'arrière-plan : la terre a été défrichée par brûlis pour aménager l'espace en apportant quelques matières fertilisantes et permettre une culture de type extensif. La forme des maisons et la pente très accentuée des toits mettent en évidence la forte pluviométrie régnant dans la région et le souci constant qu'a l'homme de dominer la nature, au moins en hauteur...

Phot. Muller-Cedri

Maison sur l'île de Timor. Curieusement, cet habitat n'est pas le fait de la majorité ethnique de l'île, d'origine malaise et islamisée, mais il est construit en lisière de forêt par des tribus aborigènes, autochtones et animistes, pratiquant une culture pauvre de subsistance (manioc, maïs et coprah) constituant une main-d'œuvre à bon marché, dans cette région déjà naturellement défavorisée.

Phot. Muller-Cedri

Les différences sont tout aussi remarquables dans la taille des habitations. Aux logements construits pour un clan ou une famille à Sulawesi ou en Irian répondent les vastes structures de la maison niassienne, haute de 25 m et abritant plus d'une centaine de personnes, ou encore les *long houses* des Dayaks de Kalimantan, qui s'étendent parfois sur 200 m et abritent un village entier. À l'autre extrémité de l'échelle, les maisons bugis, les huttes de Sumba, les abris éphémères des tribus primitives de l'Irian témoignent de la diversité des structures sociales entre chaque groupe d'îles.

Les modes de vie ne font donc pas exception.

S'il existe un point commun dans la tradition des Dayaks et des Torajas coupeurs de têtes, ou dans la cruauté guerrière des peuples de Kalimantan, de Sulawesi et de Nias, il n'en subsiste pas moins, à proximité, des tribus non violentes, comme celles de Siberut et de Mentawai, ou encore des colonies chinoises implantées partout à Nusa Tenggara. Ainsi, ces différences se retrouvent dans tous les domaines : dans la structure des langues, tantôt monosyllabiques, tantôt polysyllabiques, et dans leur origine, malaise, polynésienne... ou complètement inconnue ; dans la nourriture, dont la base peut être le riz, bien sûr, mais aussi le manioc ou le maïs ; dans l'habillement ; dans les structures sociales plus ou moins rigides et codifiées ; dans l'importance de la collectivité réunie dans un village, pour assurer la subsistance du groupe. Différences, différences, différences...

Femmes et hommes de Timor. La partie occidentale de l'île, colonisée par les Hollandais, revint à l'Indonésie en 1946. La part orientale, occupée par les Portugais, fut annexée par l'Indonésie en 1979.

Les Dayaks sont d'origine proto-malaise et peuplent l'intérieur couvert de forêts. Pratiquant l'animisme, ils restent des semi-nomades, vivant essentiellement de chasse et de la culture sur brûlis. Une coutume incite les femmes à placer de lourds anneaux de métal dans leurs lobes d'oreille, les distendant jusqu'à donner ce résultat spectaculaire.

Le **porte-bébé dayak.** Alors que la plupart des femmes des tribus d'origine malaise ont coutume de porter leur enfant sur le bras ou dans une large écharpe en bandoulière, la femme dayak, à l'instar des populations d'origine chinoise du Sud, porte son enfant sur le dos. Ici la toile, minutieusement tissée, présente des motifs religieux destinés à écarter les esprits pernicieux de la tête de l'enfant.

La force surnaturelle des éléments déchaînés

SEULE LA CROYANCE religieuse de ces populations pourrait se résumer à un seul mot, du moins en ce qui concerne les plus primitives d'entre elles, l'animisme. Mais il s'agit là d'un terme trop générique pour qu'il puisse complètement exprimer l'incroyable variété qui existe dans la pratique du culte des forces naturelles et surnaturelles que l'on craint le plus : en forêt, on craint le feu ; sur une île volcanique, les caprices du géant cracheur de feu et de mort ; ailleurs, le raz de marée

Phot. Muller-Cedri

Phot. Muller-Cedri

ou le tremblement de terre qui s'ensuit ; ailleurs encore, la sécheresse ou l'épidémie. Et ce serait encore simplifier à l'extrême si l'on ne tenait pas compte de l'importance du culte dans la vie quotidienne ou du rôle social effectif de ses ministres, mages et sorciers détenteurs de la connaissance ou de la sagesse. Quant aux notions de l'existence de forces surnaturelles et de la présence d'un au-delà, s'agit-il d'une caractéristique bien originale ?

Les événements historiques survenus au cours des dix derniers siècles ont encore accentué les différences entre les îles. En permettant le développement d'une région (ou d'une ethnie), ces influences extérieures ont frappé successivement, mais au hasard de l'intérêt immédiat, et parfois plusieurs fois dans le même périmètre, privilégiant ainsi certaines zones, laissant d'autres tribus à l'état primitif. Et, récemment, l'apport soudain de techniques nouvelles a entraîné de nouveaux décalages dans la vie de ces peuples.

Dès le XVe siècle, l'arrivée de marchands musulmans aboutit à la création de comptoirs destinés à faciliter les échanges commerciaux. Les contacts pris avec la population vivant sur la côte, leur conversion progressive à l'islām, puis la création de sultanats de droit divin donnèrent autorité, organisation et pouvoir à ceux qui s'installèrent les derniers sur les îles, au détriment de populations qui avaient été chassées vers l'intérieur. C'est ainsi que les Bugis et les Macassars établirent leur domination sur les mers, après en avoir chassé les

Fabrication du tuak. Le vin de palme vient d'être pressé. La « potion magique et religieuse », que l'on ne consomme que dans les grandes occasions, va reposer quelque temps dans cette jarre. Puis elle fermentera dans des bambous, avant d'être servie aux invités ou offerte aux hôtes de marque. Du tuak, les insulaires font aussi un alcool plus fort, nommé arak, distillé à partir du vin de palme. Un autre arak est distillé à partir du vin de riz (brem), mais il est moins prisé par les Indonésiens.

L'ensilage du riz à Lombok. Un exemple typique du travail en commun (kerdja bakti) dans le cadre du village, afin d'accomplir les tâches les plus urgentes dans les plus brefs délais. À Lombok, même les greniers à riz sont communautaires, et la production est redistribuée à chacun en fonction de la superficie, de la fertilité et du rendement de sa terre, certes, mais aussi en tenant compte du travail et du soin que chacun apporte pour mettre sa terre en valeur. Dans la forme des toitures de ces greniers, on retrouve la silhouette de la maison ou de la porte du temple balinais et, au-delà, le symbole du meru, la montagne sacrée de la religion hindouiste. De Bali à Lombok s'est produite, au cours des siècles, une forte pression culturelle, et Lombok a nettement subi la suzeraineté de sa riche et élégante voisine.

Phot. Muller-Cedri

Phot. Muller-Cedri

Phot. Gohier-Explorer

L'île de Savu est célèbre pour son tissage nommé ikat : chaque fil de la chaîne est teint de manière à n'avoir qu'une seule place possible dans le motif. Puis chaque fil est inséré selon un ordre bien précis, pour obtenir le résultat souhaité, sans débordement ni déformation. Ce travail permet d'obtenir des bandes tissées de 40 cm environ qui, assemblées, composent le vêtement rituel dont on aperçoit une partie ici. Le rite de pedoa est une danse rituelle d'intercession auprès des dieux, pour qu'ils apportent fertilité et prospérité au village : les femmes fixent à leurs chevilles deux petits paniers remplis de coquillages, qui donnent le rythme à la danse, qui se poursuit jusqu'à ce que le maître de cérémonie décide que les dieux sont satisfaits.

Torajas, et c'est ainsi également que les communautés malaises de Kalimantan exercèrent leur souveraineté, laissant les Dayaks, réfugiés le long de fleuves inaccessibles par bateau, sans aucun contact avec l'islām.

Le temps des colonies et celui de l'indépendance

DEUX SIÈCLES PLUS TARD, les colonisateurs portugais et hollandais, exaspérés de devoir acheter la cannelle, le poivre et toutes les épices à des marchands musulmans, vinrent se procurer à la source les denrées tant recherchées. Ils assurèrent leur suprématie sur la route des épices en utilisant le monopole de transport détenu par les marins bugis. Élargissant le nombre de leurs comptoirs, les Hollandais s'installèrent à Java, mais aussi à Macassar et à Manado (Sulawesi), à Amboine (Moluques), à Kupang (Timor), puis très vite à Banjermassin (Kalimantan) et à Djailolo (Halmahera), pour mieux saigner à blanc les ressources vives du pays.

Puis vint le temps de la Compagnie des Indes orientales et des livraisons forcées, qui réduisirent un peuple à l'esclavage pendant trois cents ans. La chrétienté avait fait en même temps son apparition, convertissant chaque jour quelques milliers de pauvres hères, prêchant la bonne parole du colonisateur et l'enseignement du Christ à des illettrés corvéables à merci. Le sous-prolétariat ainsi créé constitue encore aujourd'hui le ventre mou de l'Indonésie. Mais, à la différence des autorités hollandaises, les missionnaires s'insinuèrent un peu plus au cœur des îles de la Sonde, rencontrant les tribus réfugiées à l'intérieur du pays. De nombreuses tentatives de conversion se soldèrent par le massacre des missionnaires, d'autres par le massacre des tribus, d'autres encore par la conversion de minorités ethniques qui trouvaient ainsi une revanche mystique contre l'envahisseur de jadis converti à l'islām. Ce fut notamment le cas des Bataks, des Niassiens, des Torajas, des Moluquois, des Alfours.

Assurément, ces tribus ne délaissèrent pas pour autant le culte animiste, comme nous l'avons vu avec les Bataks et les Torajas, mais le ferment de la révolte était trouvé par les gens de la « terre des oubliés ». Ce qui était un conflit tribal devint une haine raciale trouvant son exutoire dans une guerre de religion. Les séparations étaient une fois encore accentuées.

Peu avant la fin de la colonisation hollandaise, la modernité fit son apparition en Indonésie avec l'extraction massive des immenses ressources naturelles du pays. L'ouverture de nouvelles zones d'extraction dans des régions reculées aboutit à l'exploitation du bois précieux, de produits tels que le charbon, la bauxite, l'étain, le nickel, plus tard le pétrole, les métaux précieux et l'uranium à Sumatra, à Kalimantan et en Irian, faisant basculer d'un seul coup dans le XXᵉ siècle des populations vivant encore parfois à l'âge du fer. Des centaines de milliers d'isolés prenaient alors conscience que quelque chose d'autre existait à côté de leurs traditions ancestrales. L'Indonésie se dirigeait insensiblement vers son indépendance. Elle est acquise, mais la tâche restant à accomplir est incommensurable pour réunir en une seule nation les différences de toutes les îles qui la composent et donner son ampleur à la devise d'Ahmed Sukarno : « Une patrie, une langue, un drapeau. »

Le banian est l'arbre sacré des religions hindouiste et bouddhiste, et l'on retrouve curieusement partout en Indonésie cet arbre miraculeux (nommé aussi waringin) comme un symbole de surnaturel, au-delà des croyances et des religions. Ce formidable caprice de la nature atteint des dimensions exceptionnelles, parfois plus de 20 m de circonférence, pour une hauteur de 40 m. Cela est dû au fait que ses branches retombent et prennent racine, épaississant à l'infini le tronc de cette merveille d'harmonie dans le paysage indonésien.